Diverso

Básico

Curso de español para jóvenes

Encina Alonso
Jaime Corpas
Carina Gambluch

Español Lengua Extranjera

SGEL

Primera edición, 2015
Quinta edición, 2018

Produce: SGEL – Educación
Avda. Valdelaparra, 29
28108 Alcobendas (Madrid)

© Encina Alonso, Jaime Corpas, Carina Gambluch
© Sociedad General Española de Librería, S. A., 2015
Avda. Valdelaparra, 29, 28108 Alcobendas (Madrid)

Dirección editorial: Javier Lahuerta
Edición: Yolanda Prieto
Corrección: Jaime Garcimartín

Diseño de cubierta: Thomas Hoermann
Fotografías de cubierta: Shutterstock
Diseño de interior y maquetación: Leticia Delgado

Ilustraciones: Pablo Torrecilla: pág. 14 (viñetas), pág. 25 (salón), pág. 71 (plano México D. F.), pág. 79 (viñeta), pág. 102 (dibujo); y Shutterstock (resto de ilustraciones, cartografía y banderas)

Fotografías: CORDON: pág. 8 foto Francisco José López Contardo; pág. 9 foto Isabel Allende Llona; pág. 33 foto Howard Gardner; pág. 41 foto selección español; pág. 72 fotos las posadas y el Año Nuevo. DREAMSTIME: pág. 70 foto 2; pág. 94 fotos Albert Einstein, Coco Chanel, Martin Luther King, Steve Jobs, J.R. Rowling, Nelson Mandela; pág. 137 foto Jorge Luis Borges. MISERICORDIA GARCÍA: pág. 71 foto Día de Muertos. INGIMAGE: pág. 13 foto Mario; pág. 46 foto 1. SHUTTERSTOCK: Resto de fotografías, de las cuales, solo para uso de contenido editorial: pág. 59 foto República Dominicana (Leonard Zhukovsky / Shutterstock.com); pág. 71 foto las serenatas (Ron Kacmarcik / Shutterstock.com); pág. 110 foto revistas (Niloo / Shutterstock.com); pág. 119 foto contaminación (Humg Chung Chih / Shutterstock.com); pág. 120 foto Bill Gates (3777190317 / Shutterstock.com); pág. 123 foto conferencia (Tomasz Bidermann / Shutterstock.com); pág. 131 foto de Little Italy (cdrin / Shutterstock.com)

Para cumplir con la función educativa del libro se han empleado algunas imágenes procedentes de internet

Audio: Bendito Sonido. **Locutores:** Gregorio Tavío, Olga Hernangómez, Mamen Delgado, Carlos Domínguez, María Sánchez, Mario Núñez, Claudia Lahuerta, Bernardino León, Fabio Cobos, Daiana Bertucci, Pablo Sainz, Julián Caraca, Roberto González, Joaquín Mulén, Dilma Albán, Luisa Ezquerra, Susana Pardo, Borja Fernández, Carlos Pérez, Mark Gómez, Eva Mackey, Frankie Mackey, Andrés Calero, Greighton Torres, Nancy Sánchez, Natalia de la Cruz

ISBN: 978-84-9778-824-3

Depósito legal: M-25780-2015
Printed in Spain – Impreso en España
Impresión: Gómez Aparicio Grupo Gráfico

Índice

La clase

1 Relaciona los objetos con las palabras.

a bolígrafo ☐
b reloj ☐
c mochila ☐
d pizarra ☐
e goma ☐
f libros ☐
g sacapuntas ☐
h cuadernos ☐
i ordenador ☐
j rotuladores ☐

2 Escribe el artículo *el, la, los, las* correspondiente.

1 _____ bolígrafo
2 _____ reloj
3 _____ mochila
4 _____ pizarra
5 _____ goma
6 _____ libros
7 _____ sacapuntas
8 _____ cuadernos
9 _____ ordenador
10 _____ rotuladores

3 ① Escribe el nombre de los objetos que escuchas.

1 _____
2 _____
3 _____
4 _____
5 _____
6 _____

4 ¿Singular o plural? Transforma los objetos del ejercicio anterior en singular o plural según corresponda.

1 *cuadernos – cuaderno*
2 _____
3 _____
4 _____
5 _____
6 _____

5 Completa la tabla.

PRONOMBRES	ser	llamarse
	soy	
tú		te llamas
	es	
nosotros/-as		
		os llamáis
	son	

6 Completa con *ser* y *llamarse* en su forma adecuada. Hay más de una opción.

1 *Es* inglés y vive en Manchester.
2 Hola, yo _____ Maarten y _____ holandés.
3 ● ¿_____ francés?
   ■ ¿Yo? Sí, de París.
4 Yo _____ Denise, _____ italiana y ahora vivo en Barcelona.
5 Mi padre y yo _____ Pedro.
6 ● ¿Ella _____ Ana?
   ■ No, _____ Silvia.
7 ● ¿Vives en Polonia?
   ■ No, _____ polaco y ahora vivo en Alemania.
8 Nosotras _____ Alejandra y Carmen y _____ estudiantes de Medicina.

7 Lee las frases. Escribe si es saludo (S) o despedida (D).

1 Hola, ¿cómo estás?   S
2 ¡Hasta pronto!   _____
3 Adiós, ¡buenas noches!   _____
4 Buenos días, ¿qué tal?   _____
5 Hola, ¿cómo te llamas?   _____
6 ¡Hasta luego!   _____
7 ¡Adiós!   _____
8 Hola, soy Ana. Y tú, ¿cómo te llamas? _____
9 ¡Hasta mañana!   _____

8 Escribe las preguntas.

1 _____

José Luis.

2 _____

Muy bien, gracias.

3 _____

Soy francés.

4 _____

Sí, me llamo Carmen.

5 _____

Regular, ¿y tú?

9 ② ¿Tú o usted? Mira las fotos. Escucha el programa de radio y completa los diálogos.

1

● ¿Hola?

■ ¡Buenos días! ¿(1) _____ usted Aurelio Montes?

● Sí, (2) _____ yo.

■ ¡Feliz cumpleaños, señor Montes!

● Muchas gracias.

■ Señor Montes, ¿de dónde (3) _____ usted?

● (4) _____ argentino, de Buenos Aires.

■ ¿Y cuántos años cumple hoy?

● ¡Muchos, señorita, muchos! ¡Ochenta y cinco!

■ ¿Ochenta y cinco?

● Exacto.

■ ¡Muchas felicidades!

2

● ¿Diga?

■ ¡Feliz cumpleaños!

● Muchas gracias.

■ ¿(5) _____ María?

● Sí, (6) _____ María.

■ María, ¿de dónde (7) _____?

● (8) _____ española, de Toledo.

■ ¿Y cuántos años cumples hoy?

● Quince.

■ ¡Muchas felicidades!

● ¡Muchas gracias!

11 Lee los datos de cada foto y escribe la nacionalidad.

1 Tim es de Londres. Es *británico*.

2 Katrin es de Múnich. Es _____.

3 Gustavo y Fernando son de Buenos Aires. Son _____.

4 Sara y Roberta son de Florencia. Son _____.

5 Marcelo es de Santiago de Chile. Es _____.

6 Tom, Mary y Jennifer son de San Francisco. Son _____.

7 Vincent y Pierre son de París. Son _____.

10 Completa la tabla con las nacionalidades.

PAÍS	MASCULINO SINGULAR	FEMENINO SINGULAR	MASCULINO PLURAL	FEMENINO PLURAL
España				
Francia				
China				
Marruecos				
Bélgica				
Colombia				

Datos personales

12 ¿Cuáles son los pronombres personales que faltan?

Yo • Tú • Usted • Él • Ella • Nosotros • Vosotros • Ellos

1 _____ se llama Laura.
2 _____ somos amigos.
3 _____ tienen 16 años.
4 _____ sois alemanes.
5 _____ eres argentino.
6 _____ tiene 80 años.
7 _____ soy inglés.
8 _____ habla portugués, es brasileño.

13 Completa con tus datos personales.

14 Escribe un breve texto con tus datos personales.

Me llamo Marie Delorme…

15 Completa la tabla.

	tener
yo	
tú	tienes
él, ella, usted	
nosotros/-as	
vosotros/-as	
ellos, ellas, ustedes	

16 Escribe las fechas según el modelo.

a **12-02** = doce de febrero
b **05-03** = _____
c **-** = treinta y uno de marzo
d **10-09** = _____
e **-** = veinticinco de noviembre
f **23-04** = _____
g **14-01** = _____
h **-** = dieciséis de octubre
i **-** = veinte de mayo
j **06-06** = _____
k **13-07** = _____
l **-** = dieciocho de agosto

17 Contesta a las preguntas.

1 ¿Cuándo es el cumpleaños de tu mejor amigo?

2 ¿Cuál es tu mes favorito?

3 ¿Cuándo es Navidad?

4 ¿Cuándo es Año Nuevo?

5 ¿Cuándo son tus vacaciones?

6 ¿Qué día es hoy?

7 ¿Qué día es mañana?

8 ¿Cuál es tu día favorito?

18 Completa y contesta a las preguntas.

1 ¿_____ años tienes?

2 ¿_____ es tu cumpleaños?

3 ¿_____ te llamas?

4 ¿_____ es tu primer apellido?

5 ¿_____ es tu segundo apellido?

6 ¿_____ eres?

7 ¿_____ es tu dirección de correo electrónico?

19 Completa las frases con los siguientes posesivos.

mis ● tu ● su ● mi ● tus ● sus

1 ● Te llamas Antonio?
  ■ Sí.
  ● ¿Antonio Castro?
  ■ Sí, Castro es _____ primer apellido.
2 ● Me llamo María y _____ apellidos son Martínez García.
  ■ ¡ _____ apellidos son muy españoles!
  ● Sí, pero yo soy argentina.
3 ● Sara, ¿_____ madre se llama Rosa?
  ■ Sí, se llama Rosa María.
  ● ¿Y cuándo es _____ cumpleaños?
  ■ El 5 de enero.
4 ● ¿Ellos son amigos de Juan?
  ■ Sí, son _____ amigos.

20 Mira la clasificación de la liga de fútbol española. Escribe los números con letras.

Equipo			Pt
1		Barcelona	90
2		Real Madrid	87
3		Atlético	87
4		Athletic	70
5		Sevilla	63
6		Villarreal ▲1	59
7		Real Sociedad ▼1	59
8		Valencia ▲2	49
9		Celta ▼1	49
10		Levante ▼1	48

1 Barcelona: *noventa* puntos.
2 Real Madrid: _____ puntos.
3 Atlético: _____ puntos.
4 Athetic: _____ puntos.
5 Sevilla: _____ puntos.
6 Villarreal: _____ puntos.
7 Real Sociedad: _____ puntos.
8 Valencia: _____ puntos.
9 Celta: _____ puntos.
10 Levante: _____ puntos.

21 ③ Escucha los números y escríbelos.

a *72*   e _____
b _____   f _____
c _____   g _____
d _____   h _____

22 Lee la ficha de este piloto de motos chileno. Luego escribe un texto con sus datos personales.

Nombres:	Francisco José
Apellidos:	López Contardo
Apodo:	*Chaleco*
Nacionalidad:	chileno
Cumpleaños:	15 de septiembre
Carrera favorita:	Rally Dakar
Equipo actual:	KTM

Se llama Francisco…

_____
_____
_____
_____
_____
_____
_____

Presentaciones

23 Completa la tabla con los verbos conjugados.

PRONOMBRES	hablar	comprender	vivir
yo		comprendo	
tú	hablas		
él, ella, usted			vive
nosotros/-as		comprendemos	
vosotros/-as			vivís
ellos/-as, ustedes	hablan		

24 (4) **Escucha las preguntas y marca la entonación. Fíjate en el ejemplo.**

¿Cómo te llamas? ↗↘ *¿Eres español?* ↗

1 ¿De dónde eres?

2 ¿Vives en Londres?

3 ¿Cuál es tu apellido?

4 ¿Hablas chino?

5 ¿Dónde vives?

6 ¿Qué idiomas hablas?

7 ¿Cuándo es tu cumpleaños?

8 ¿Cuántos años tienes?

9 ¿Eres estudiante de Medicina?

10 ¿Tienes 20 años?

25 Completa con *y* o *e*.

1 Hablo español ____ inglés.

2 Mi primo estudia francés ____ ruso.

3 Soy brasileño ____ italiano.

4 Estudiamos portugués ____ chino.

5 ¿Hablas holandés ____ alemán?

6 Estudio árabe ____ español.

26 Lee el texto sobre Isabel Allende, la famosa escritora chilena. Completa con los verbos correspondientes.

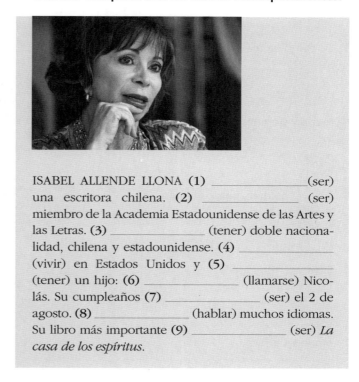

ISABEL ALLENDE LLONA (1) _____ (ser) una escritora chilena. (2) _____ (ser) miembro de la Academia Estadounidense de las Artes y las Letras. (3) _____ (tener) doble nacionalidad, chilena y estadounidense. (4) _____ (vivir) en Estados Unidos y (5) _____ (tener) un hijo: (6) _____ (llamarse) Nicolás. Su cumpleaños (7) _____ (ser) el 2 de agosto. (8) _____ (hablar) muchos idiomas. Su libro más importante (9) _____ (ser) *La casa de los espíritus*.

27 Escribe en tu cuaderno un texto similar sobre un personaje famoso de tu país.

28 Revisa el vocabulario de la unidad. Escribe cuatro palabras en cada grupo. Tienes la primera letra.

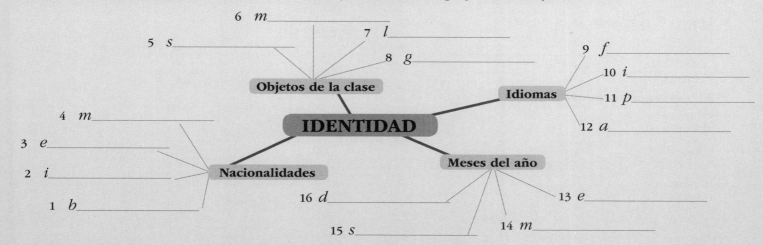

6 *m*_____

7 *l*_____

5 *s*_____

8 *g*_____

9 *f*_____

10 *i*_____

Objetos de la clase

Idiomas

11 *p*_____

4 *m*_____

IDENTIDAD

12 *a*_____

3 *e*_____

2 *i*_____

Nacionalidades

Meses del año

1 *b*_____

16 *d*_____

13 *e*_____

15 *s*_____

14 *m*_____

Lengua y comunicación

Marca la respuesta correcta.

1 Se ____ Felisa.
a) ☐ llamo
b) ☐ llamamos
c) ☐ llama

2 ¿Tienes tú ____ sacapuntas?
a) ☐ el
b) ☐ la
c) ☐ las

3 Su cumpleaños ____ el 20 de mayo.
a) ☐ son
b) ☐ es
c) ☐ eres

4 Mario y Gemma ____ en Madrid.
a) ☐ viven
b) ☐ vivís
c) ☐ vive

5 No ____ alemán, hablo alemán.
a) ☐ estudian
b) ☐ estudias
c) ☐ estudio

6 Elisa ____ muy bien.
a) ☐ están
b) ☐ está
c) ☐ estoy

7 Mario y Carlota ____ 20 años.
a) ☐ tienen
b) ☐ tiene
c) ☐ tenéis

8 Me llamo Marcelo, mi ____ es *El Tano*.
a) ☐ nombre
b) ☐ apellido
c) ☐ apodo

9 Tengo ____ cuadernos en mi mochila.
a) ☐ los
b) ☐ las
c) ☐ el

10 ¿____ es tu número de teléfono?
a) ☐ Cuál
b) ☐ Dónde
c) ☐ Cuáles

11 ____ primer apellido es Cabrera.
a) ☐ Sus
b) ☐ Mis
c) ☐ Mi

12 Clara y Martina ____ español y portugués.
a) ☐ habláis
b) ☐ hablan
c) ☐ habla

13 John y Mary son ____.
a) ☐ inglés
b) ☐ ingleses
c) ☐ inglesa

14 ¡____! ¡Hasta mañana!
a) ☐ Hola
b) ☐ Adiós
c) ☐ Qué tal

15 Mi amigo es ____.
a) ☐ francesa
b) ☐ francés
c) ☐ franceses

16 ¿____ años tienes?
a) ☐ Cuántos
b) ☐ Cuándo
c) ☐ Cuál

17 ¿Vosotros ____ alemán?
a) ☐ hablan
b) ☐ habla
c) ☐ habláis

18 Señor Suárez, ¿____ segundo apellido es Pereira?
a) ☐ su
b) ☐ sus
c) ☐ tu

19 ¿Cómo está ____?
a) ☐ usted
b) ☐ tú
c) ☐ nosotros

20 El 03/06 es el tres de ____.
a) ☐ mayo
b) ☐ junio
c) ☐ julio

Total: ____ / 10 puntos

Destrezas

 1. COMPRENSIÓN ESCRITA

1 **Este es el perfil de Facebook de Fernando. Mira las imágenes y el texto. Contesta a las preguntas.**

1 ¿Cuál es el segundo nombre de Fernando? _____

2 ¿De dónde es? _____

3 ¿Dónde vive? _____

4 ¿Es estudiante? _____

5 ¿Cuántos años tiene? _____

Fernando Luis Escudero Rojas

Profesión: profesor de Lenguas Modernas

Vive en España

De Chile

Cumpleaños: 10 de septiembre de 1989

Amigos   Fotos   Mapas   Me gusta (232)

Total: _____ / 10 puntos

2. PRODUCCIÓN ESCRITA

(Mínimo, 50 palabras)

Quieres hacer un intercambio en un bar de idiomas. Escribe un <u>mensaje</u> con tus datos personales en la página web.

Incluye:
- tu nombre y apellido
- tu edad
- dónde vives
- idiomas que hablas o comprendes

▶ EVALUACIÓN DE TU PRODUCCIÓN ESCRITA

- **Lengua** (___ / 4 puntos)
- Léxico: datos personales
- Gramática: verbos *ser / llamarse / tener / hablar / comprender / vivir*

- **Contenido** (___ / 4 puntos)
- Tu nombre y apellido
- Tu edad
- Dónde vives
- Idiomas que hablas o comprendes

- **Formato**: mensaje en una página web (___ / 2 puntos)
- ¿Hay saludo?
- ¿Hay despedida?

Total: _____ / 10 puntos

 ## 3. PRODUCCIÓN Y COMPRENSIÓN ORAL (interacción)

(Mínimo, un minuto cada uno)

Con un compañero, prepara un diálogo para intercambiar información personal.

Incluye:
- saludos, nombre y apellidos
- nacionalidad
- número de teléfono
- lenguas que conoces

▶ EVALUACIÓN DE TU PRODUCCIÓN ORAL Y DE LA COMPRENSIÓN ORAL DE TU COMPAÑERO

- **Lengua** (___ / 4 puntos)
- Léxico: datos personales y números
- Gramática: pronombres interrogativos y verbos en presente

- **Contenido** (___ / 4 puntos)
- Saludos, nombre y apellidos
- Nacionalidad
- Número de teléfono
- Lenguas que conoces

- **Expresión** (___ / 2 puntos)
- Hablas con fluidez
- Hablas con una buena pronunciación y entonación

- **Interacción** (___ / 10 puntos)
- Comprendes lo que dice tu compañero
- Respondes de forma coherente a lo que dice tu compañero

Total: _____ / 20 puntos

Total: _____ / 50 puntos

Mi progreso

Valora tu progreso después de esta unidad.

Mis habilidades	
- Comprender y hablar sobre información personal	
- Interpretar y escribir mensajes en redes sociales	

Mis conocimientos	
- Léxico de los objetos de la clase, las nacionalidades, los meses del año y los números (hasta el 100)	
- Información personal y presentaciones	
- Género y número de los sustantivos	
- Verbos *ser, llamarse* y *tener*, los posesivos, los verbos regulares del presente y los pronombres interrogativos	
- Información sobre Chile y personas famosas	

Soy más consciente	
- De mi clase y mi información personal	
- De mi propia identidad	
- De mi propia cultura	

 Bien   Adecuado   Mal

2 Relaciones

Mi familia y mis amigos

1 Mira el árbol genealógico de Mario y escribe qué relación tiene cada uno con él.

Roberto _____   Nélida

Juan Carlos   Tamara   Pedro   María

Cristina   **MARIO** _____   Diego   Lucía

2 Completa la tabla con las relaciones familiares.

SINGULAR		PLURAL	
masculino	femenino	masculino	femenino
abuelo	abuela	abuelos	abuelas
hijo			hijas
		hermanos	
	tía		
		padres	
hermanastro			hermanastras
	prima		

3 ¿Cómo se dice en tu idioma? Escríbelo.

1 mis padres (padre + madre): _____
2 dos padres (padre + padre): _____
3 tu abuela: _____
4 nuestros abuelos (abuelo + abuela): _____
5 la nieta: _____
6 los hermanos (hermano + hermana): _____
7 la mujer: _____
8 el marido: _____

4 Completa las frases con los siguientes posesivos.

vuestra ● su ● nuestra ● sus ● nuestros ● vuestros

1 No tenemos primos, _____ tíos no tienen hijos.
2 Él vive en Madrid y _____ padres viven en Quito.
3 Ellos tienen una tía: _____ tía se llama Carla.
4 Ana, Juan, ¿_____ madre es ecuatoriana?
5 _____ madre no vive con nosotros.
6 Primos, ¿dónde están _____ padres?

5 Completa las frases.

1 Los padres de mi padre son *mis abuelos*.
2 La hija de mi tía es _____.
3 Los hermanos de vuestra madre son _____.
4 Los primos de mis hermanas son _____ también.
5 El hijo de mi tía es _____.
6 El hermano de vuestro padre es _____.
7 La hija de mi hijo es _____.
8 Los hijos de vuestros tíos son _____.

6 Escribe la pregunta.

1 _____

¿Mis abuelos? Ah..., se llaman Carlos y Tita.

2 _____

Sí, nuestras tías son de Argentina.

3 _____

No, mi instituto no se llama San Francisco de Quito.

4 _____

¿Sus tíos? Son ecuatorianos.

5 _____

Mi familia vive en Guayaquil.

6 _____

Nuestro perro se llama Cocó.

7 _____

No, mis primos son peruanos.

8 _____

Mi padre se llama Osvaldo.

7 Completa la tabla con los demostrativos.

SINGULAR		PLURAL	
masculino	femenino	masculino	femenino
	esta		estas
	esa	esos	
aquel			aquellas

8 Mira los dibujos y escribe el pronombre demostrativo correspondiente.

1 _____ son mis tíos Rubén y Lola.

2 _____ es mi padre.

3 _____ son nuestros abuelos, Andrés y Judith.

4 _____ son mis compañeras de clase.

5 _____ es mi amiga Saray.

6 _____ es mi hermano Javier.

9 Completa las oraciones con las siguientes palabras.

novia ● soltera ● compañera ● único
divorciado ● marido ● adoptada ● ex

1 No tengo hermanos, soy hijo _____.
2 Estoy _____, no estoy casada.
3 No es mi novio, Martín es mi _____.
4 No estoy casado ahora, estoy _____.
5 No son mis padres biológicos, soy _____.
6 No es mi amiga, ¡ahora es mi _____!
7 Estoy casado con él, es mi _____.
8 Sandra es una _____ de clase.

10 ⑤ **María Isabel es ecuatoriana y habla de su familia con su amiga española Lola. Escucha y lee la conversación. Después, describe una familia típica de tu país y coméntalo con tu compañero.**

LOLA: ¿Es grande tu familia, María Isabel?

MARÍA ISABEL: ¡Muy grande! Somos seis hermanos: dos hermanas y cuatro hermanos.

LOLA: ¡Seis hermanos!

MARÍA ISABEL: ¡Sí! ¿Y sabes cuántos primos tengo?

LOLA: ¿Cuántos?

MARÍA ISABEL: Veinticuatro por parte de madre y quince por parte de padre.

LOLA: ¡Tienes una familia muy grande!

Aspecto físico

11 Completa con todas las opciones posibles que conoces para describir a una persona.

7 _____

6 _____

5 _____

9 _____

8 _____

10 _____

Lleva

4 _____

3 _____

2 _____

Es

1 _____

La apariencia

11 _____

12 _____

La altura

13 _____

Descripción física

29 _____

28 *rubio*

El pelo

27 _____

26 _____

22 _____

23 _____

25 _____

24 _____

14 _____

15 _____

Los ojos

16 _____

17 _____

18 _____

El tamaño

19 _____

21 *gordo/-a*

20 _____

12 ⑥ Arturo Villavicencio es un investigador medioambiental, premio Nobel de la Paz 2007. Completa la descripción con los verbos correspondientes. Después, escucha y comprueba.

(1) _____ Arturo Villavicencio. (2) _____ de Ecuador. (3) _____ en Quito. (4) _____ de estatura mediana. (5) _____ los ojos castaños y el pelo gris. (6) _____ gafas. (7) _____ una persona famosa en Ecuador.

13 Escribe los contrarios.

1 Es moreno/-a ≠ *rubio/-a*
2 Es delgado/-a ≠ _____
3 Es alto/-a ≠ _____
4 Es guapo/-a ≠ _____
5 Tiene el pelo corto ≠ _____
6 Tiene el pelo liso ≠ _____

14 Martha Fierro es una maestra internacional de ajedrez. Lee el texto y coloca los siguientes subtítulos.

Carácter ● Datos personales ● Carrera ● Aspecto físico

MARTHA FIERRO
Una ajedrecista ecuatoriana internacional

(1) _____

Martha Fierro es una ecuatoriana que ahora vive en Estados Unidos. Habla español e inglés. Es ajedrecista y es famosa en todo el mundo.

(2) _____

Es bastante alta y delgada. Tiene el pelo largo y liso y los ojos oscuros. Es muy guapa.

(3) _____

Es muy trabajadora e inteligente. Es sociable y también divertida.

(4) _____

Tiene muchas medallas y campeonatos internacionales y es la mejor ajedrecista de Ecuador.

15 Completa las oraciones. Elige la palabra correcta.

1 Mis padres son *guapas / altas / delgados*.
2 Es una señora *alto / alta / guapo*.
3 Tiene el pelo *largo / lisos / rizados*.
4 Es un chico *alta / atractivos / bajo*.
5 Lleva barba *largo / corta / delgada*.
6 Tiene los ojos *azul / verdes / gris*.

16 ¿Cómo son? Completa el cuadro.

Tu padre / madre	*Es alto/-a. Tiene los ojos…*
Tu mejor amigo/-a	
Tu profesor(a) de español	
Tu primo/-a	
Tu compañero/-a de clase	

17 Eleonora y Laura hablan de sus nuevos amigos por Facebook. Lee las descripciones y mira las fotos. Después, identifica los errores y corrígelos.

Laura Morán

Laura Morán Hola, Eleonora ¿¿¿Qué tal con Luis???
El 15 de abril a las 13:22 • Me gusta • Comentar • Eliminar

Eleonora Vallejo ¡Hola, guapa! ¡Muy bien con Luis! ¡Es muy guapo! Es moreno y tiene el pelo muy largo y rizado. Lleva gafas y un *piercing* en la boca ¡Mira la foto! ¿¿¿Y cómo es Juan?????

Laura Morán ¡Muy guapo! Tiene el pelo largo y rubio. Es un poco gordo. No lleva gafas ni tatuajes. ¡Mira la foto!

LUIS _____
_____
_____
JUAN _____
_____

Carácter

18 **Escribe los contrarios de estos adjetivos.**

1 ● Tú eres un poco vago.
   ■ No, yo no soy vago, soy muy _____.
2 ● Tu tía es bastante ordenada.
   ■ ¿Mi tía ordenada? No, mi tía es muy _____.
3 ● Fabián es un poco tímido.
   ■ No, Fabián no es tímido, es muy _____ con sus amigos.
4 ● Mis amigos Leo y José son muy divertidos.
   ■ ¿Tus amigos? No, no son divertidos, son un poco _____.
5 ● ¡Qué guapa es Carmen!
   ■ ¿Guapa? Para mí es un poco _____.
6 ● Mi ex es muy antipático.
   ■ ¿Jorge? No, no ¡Jorge es muy _____!

19 **Describe en seis frases la personalidad de algunos miembros de tu familia y de tus conocidos. Utiliza *bastante, un poco, muy.***

Mi compañero de clase es muy inteligente…

_____
_____
_____
_____
_____
_____
_____
_____
_____
_____

20 ⑦ **Santiago habla por teléfono con su amigo Alejandro sobre su nueva amiga Sofía. Escucha la conversación y marca qué frases son verdaderas.**

1 ¡Es muy guapa! ☐
2 Tiene el pelo largo y rizado. ☐
3 Tiene los ojos verdes. ☐
4 Es baja. ☐
5 Lleva gafas. ☐
6 Lleva un tatuaje. ☐
7 Es bastante vaga en el instituto, pero muy inteligente. ☐
8 No es tímida. ☐
9 No es sociable, es un poco aburrida. ☐
10 Es una chica muy guay. ☐

21 ⑦ **Escucha nuevamente la conversación y dibuja en tu cuaderno a Sofía.**

22 **Escribe las siguientes frases en negativo como en el ejemplo.**

1 Tatiana es rubia (morena).
   Tatiana no es rubia, es morena.
2 Este es mi hermano (padre).
   _____
3 Iker lleva barba (bigote).
   _____
4 Mi madre tiene el pelo rizado (liso).
   _____
5 La clase es aburrida (divertida).
   _____
6 Mi profesor es desordenado (ordenado).
   _____

23 **Mira las tres fotografías y elige una. Describe a esa persona. Incluye:**

- Datos personales
- Aspecto físico
- Carácter

_____
_____
_____
_____
_____
_____

Lengua y comunicación

Marca la respuesta correcta.

1 **María tiene dos ____. Son hijos de su padre y su nueva mujer.**
a) ☐ hermanos
b) ☐ hermanastros
c) ☐ primos

2 **Mi ____ Agustín es el hijo de mi tío Felipe.**
a) ☐ primo
b) ☐ hermano
c) ☐ tía

3 **____ se llaman Federico y María.**
a) ☐ Mis hermanas
b) ☐ Mis hermanos
c) ☐ Mi hermano

4 **____ perros son muy divertidos. Se llaman Pepa y Paco.**
a) ☐ Nuestro
b) ☐ Nuestra
c) ☐ Nuestros

5 **Tengo un hermano. ____ hermano se llama Vicente.**
a) ☐ Mi
b) ☐ Tu
c) ☐ Su

6 **Alfredo ____ los ojos verdes.**
a) ☐ tiene
b) ☐ tenemos
c) ☐ tienes

7 **Mi amiga y yo ____ gafas de sol.**
a) ☐ llevamos
b) ☐ lleva
c) ☐ llevan

8 **Mi hermano y yo no tenemos el pelo ____.**
a) ☐ alto
b) ☐ calvo
c) ☐ liso

9 **Nosotros no ____ muy altos.**
a) ☐ sois
b) ☐ son
c) ☐ somos

10 **Es una señora muy ____.**
a) ☐ trabajadora
b) ☐ trabajador
c) ☐ trabajadoras

11 **Mis abuelos son muy ____.**
a) ☐ simpático
b) ☐ simpáticos
c) ☐ simpáticas

12 **Mi hermano es inteligente ____ muy trabajador.**
a) ☐ y
b) ☐ un poco
c) ☐ pero

13 **Es muy simpática, ____ un poco desordenada.**
a) ☐ e
b) ☐ o
c) ☐ pero

14 **¿Cómo es Sofía? ¿Es alta ____ baja?**
a) ☐ y
b) ☐ o
c) ☐ pero

15 **Mis compañeros de clase ____ muy sociables.**
a) ☐ son
b) ☐ sois
c) ☐ es

16 **¿____ es tu amigo?**
a) ☐ Cuándo
b) ☐ Dónde
c) ☐ Cómo

17 **No, Marisa no está casada. Está ____.**
a) ☐ casado
b) ☐ soltera
c) ☐ compañera

18 **Timoteo es hijo ____. No tiene hermanos.**
a) ☐ único
b) ☐ únicos
c) ☐ única

19 **Mariana y Fernando ____ casados.**
a) ☐ estáis
b) ☐ están
c) ☐ somos

20 **____ es Alejandra, mi madre.**
a) ☐ Esta
b) ☐ Este
c) ☐ Esto

Total: _____ / 10 puntos

Destrezas

 ## 1. COMPRENSIÓN ESCRITA

1 Mira el nombre de la página web, ¿de dónde es? Elige la opción correcta. (___ / 1 punto)

De Ecuador ☐   De España ☐   De Chile ☐

2 Mira el eslogan (debajo del nombre de la página). ¿Qué indica que la página web es famosa a escala internacional? (___ / 1 punto)

_____

3 Lee el apartado CINE / FICCIÓN. ¿Qué características físicas tienen que tener los actores, las actrices y los modelos? Completa la tabla. (___ / 3 puntos)

Características físicas
Actores
Actrices
Modelos

4 Lee el apartado MODA / BELLEZA. La palabra _modelos_, ¿a quién se refiere? Marca con una cruz (X) la opción correcta. (___ / 1 punto)

chicos ☐   chicas ☐   ambos sexos ☐

5 Lee el apartado TELEVISIÓN / RADIO. Busca el contrario. (___ / 2 puntos)

1 bajos ≠ _____   3 pelo liso ≠ _____
2 gordos ≠ _____   4 pelo largo ≠ _____

6 Lee el apartado OTROS. ¿Qué significa la palabra _tatuajes_? Elige la fotografía correcta. (___ / 2 puntos)

 1 ☐    2 ☐    3 ☐

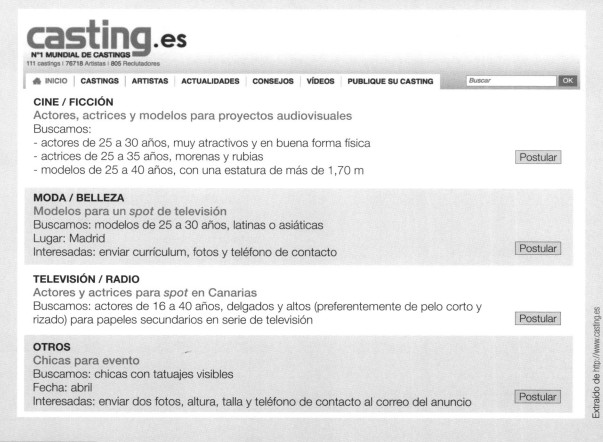

casting.es
Nº1 MUNDIAL DE CASTINGS
111 castings | 76718 Artistas | 805 Reclutadores

🏠 INICIO | CASTINGS | ARTISTAS | ACTUALIDADES | CONSEJOS | VÍDEOS | PUBLIQUE SU CASTING   Buscar   OK

CINE / FICCIÓN
Actores, actrices y modelos para proyectos audiovisuales
Buscamos:
- actores de 25 a 30 años, muy atractivos y en buena forma física
- actrices de 25 a 35 años, morenas y rubias
- modelos de 25 a 40 años, con una estatura de más de 1,70 m
[Postular]

MODA / BELLEZA
Modelos para un _spot_ de televisión
Buscamos: modelos de 25 a 30 años, latinas o asiáticas
Lugar: Madrid
Interesadas: enviar currículum, fotos y teléfono de contacto
[Postular]

TELEVISIÓN / RADIO
Actores y actrices para _spot_ en Canarias
Buscamos: actores de 16 a 40 años, delgados y altos (preferentemente de pelo corto y rizado) para papeles secundarios en serie de televisión
[Postular]

OTROS
Chicas para evento
Buscamos: chicas con tatuajes visibles
Fecha: abril
Interesadas: enviar dos fotos, altura, talla y teléfono de contacto al correo del anuncio
[Postular]

Extraído de http://www.casting.es

Total: _____ / 10 puntos

Autoevaluación

 2. PRODUCCIÓN ESCRITA

(Mínimo, 50 palabras)

Describe a tu persona favorita en un <u>blog</u>.

Incluye:
- sus datos personales
- su aspecto físico
- su carácter
- tu relación con esa persona

▶ EVALUACIÓN DE TU PRODUCCIÓN ESCRITA

- **Lengua** (___ / 4 puntos)
- Léxico: información personal, aspecto físico, carácter
- Gramática: presente / concordancia sustantivos y adjetivos / posesivos

- **Contenido** (___ / 4 puntos)
- Sus datos personales
- Su aspecto físico
- Su carácter
- Tu relación con esa persona

- **Formato: blog** (___ / 2 puntos)
- ¿Hay título?
- ¿Hay saludo?

Total: _____ / 10 puntos

 3. PRODUCCIÓN ORAL (expresión)

(Mínimo, un minuto)

Presenta a un personaje famoso, real o ficticio.

Incluye:
- su nombre y profesión
- su nacionalidad
- su aspecto físico
- su carácter

▶ EVALUACIÓN DE TU PRODUCCIÓN ORAL

- **Lengua** (___ / 4 puntos)
- Léxico: información personal, aspecto físico, carácter
- Gramática: presente / concordancia sustantivos y adjetivos / posesivos

- **Contenido** (___ / 4 puntos)
- Su nombre y profesión
- Su nacionalidad
- Su aspecto físico
- Su carácter

- **Expresión** (___ / 2 puntos)
- Hablas con fluidez
- Hablas con una buena pronunciación y entonación

Total: _____ / 10 puntos

 4. COMPRENSIÓN ORAL

8 **Escucha a Luis Alberto hablar de su familia y señala si estas frases son verdaderas (V) o falsas (F).**

1 Vive con su padre y con su madre. ☐
2 Tiene una hermana y dos hermanos. ☐
3 Tiene dos abuelos y una abuela. ☐
4 Tiene muchos primos y primas. ☐
5 Tiene un gato. ☐

Total: _____ / 10 puntos

Total: _____ / 50 puntos

Mi progreso

Valora tu progreso después de esta unidad.

Mis habilidades
- Hablar sobre las relaciones familiares y sociales, el aspecto físico y el carácter
- Entender y escribir una entrada en un blog y diseñar un árbol genealógico

Mis conocimientos
- Léxico de las relaciones familiares y sociales, aspecto físico y carácter
- Posesivos, demostrativos y la concordancia sustantivos-adjetivos
- El uso de *y, o, también* y *pero*
- Sonidos que se pronuncian juntos
- Información sobre Ecuador y la diversidad étnica

Soy más consciente
- De mis relaciones, mi aspecto físico y mi carácter
- De la importancia de las relaciones personales
- De las relaciones en mi propia cultura

 Bien Adecuado Mal

3 Hábitat

Una ciudad

1 Completa con _un, una, unos_ o _unas_.

1 _____ museo
2 _____ discoteca
3 _____ cines
4 _____ ciudad
5 _____ hospital
6 _____ pueblo
7 _____ parques
8 _____ estación de autobuses
9 _____ casa
10 _____ parada de metro
11 _____ oficina de turismo
12 _____ centro comercial

2 ¿Qué hay en tu ciudad o en tu pueblo? Escribe una frase con _hay_ o _no hay_. Añade el artículo si es necesario.

cine / cines
En mi ciudad hay un cine. / En mi pueblo no hay cines.

1 teatro / teatros
_____

2 hospital / hospitales
_____

3 aeropuerto / aeropuertos
_____

4 discoteca / discotecas
_____

5 centro comercial / centros comerciales
_____

6 oficina de turismo / oficinas de turismo
_____

7 biblioteca / bibliotecas
_____

8 museo / museos
_____

9 parque / parques
_____

10 estación de autobuses / estaciones de autobuses
_____

3 ¿Qué hay en tu clase? Responde a las preguntas.

1 ¿Cuántos alumnos hay?
_____

2 ¿Cuántos chicos hay?
_____

3 ¿Cuántas chicas hay?
_____

4 ¿Cuántas nacionalidades hay?
_____

5 ¿Cuántos ordenadores hay?
_____

6 ¿Cuántas sillas hay?
_____

4 Escribe los adjetivos contrarios.

1 ruidoso # _____

2 antiguas # _____

3 pequeños # _____

4 divertida # _____

5 feos # _____

6 limpia # _____

5 Completa las frases con el nombre de una ciudad.

1 _____ es una ciudad grande.

2 _____ es una ciudad antigua.

3 _____ es una ciudad moderna.

4 _____ es una ciudad bonita

5 _____ es una ciudad divertida.

6 _____ es una ciudad tranquila.

6 Escribe frases con *muy, mucho, mucha, muchos* y *muchas*. Hay más de una opción.

En mi ciudad hay muchas bibliotecas.

En mi ciudad hay Mi país es Mi casa es En Salamanca hay Salamanca es una ciudad En mi pueblo hay En mi pueblo no hay Guatemala es un país	muy mucho mucha muchos muchas	antigua. bibliotecas. pequeño. estudiantes. turismo. bonito. gente. divertida.

7 Escribe frases sobre lugares (países, ciudades o pueblos) que conoces.

Roma es una ciudad antigua y muy bonita.

1 _____

2 _____

3 _____

4 _____

5 _____

6 _____

8 Completa las frases con *porque* o *para*.

1 Nueva York es una ciudad ideal _____ estudiar _____ tiene muchas universidades.

2 Salamanca es una ciudad interesante _____ hay muchos estudiantes y es ideal _____ estudiar español.

3 Río de Janeiro es una ciudad interesante _____ ir de vacaciones _____ tiene muchas playas.

4 París es una ciudad perfecta _____ viajar con tu pareja _____ es muy romántica.

5 Roma es una ciudad interesante _____ es muy bonita y es perfecta _____ vivir.

6 Granada es una ciudad perfecta _____ estudiar español _____ es una ciudad muy tranquila.

9 Marca tus objetivos para estudiar español.

Estudio español para…

… ir a Sudamérica y a Centroamérica. ☐

… hablar con amigos. ☐

… leer en español. ☐

… estudiar en una universidad de habla hispana. ☐

… ver películas de cine en español. ☐

… vivir en el futuro en un país de habla hispana. ☐

… escuchar música en español. ☐

… hablar con mi familia. ☐

… aprobar un examen. ☐

Un barrio

ESTADOS UNIDOS

Golfo de México

LAS BAHAMAS

MÉXICO

CUBA

REPÚBLICA DOMINICANA

JAMAICA HAITÍ PUERTO RICO

BELICE

HONDURAS

Mar Caribe

GUATEMALA

EL SALVADOR NICARAGUA

COSTA RICA

PANAMÁ

VENEZUELA GUAYANA

SURINAM GUAYANA FRANCESA

COLOMBIA

ECUADOR

PERÚ

BRASIL

BOLIVIA

PARAGUAY

CHILE

ARGENTINA URUGUAY

10 Responde a las siguientes preguntas.

1 ¿Cómo traduces *barrio* en tu idioma?

_____

2 ¿Cómo se llama el barrio en el que vives?

_____

3 Escribe el nombre de un barrio de tu ciudad:
a Un barrio bonito: _____
b Un barrio moderno: _____
c Un barrio pequeño: _____

11 ¿En qué países están las siguientes ciudades?

Ecuador ● Perú ● Honduras ● Argentina ● Guatemala
Uruguay ● Venezuela ● Colombia ● Paraguay ● Cuba

1 Lima está en _____.
2 Quito está en _____.
3 Buenos Aires y Rosario están en _____.
4 Tegucigalpa está en _____.
5 Montevideo está en _____.
6 La Habana y Santiago están en _____.
7 Antigua está en _____.
8 Caracas está en _____.
9 Bogotá y Medellín están en _____.
10 Asunción está en _____.

12 Elige una opción.

1 Guatemala está cerca de…
☐ a) Honduras ☐ b) Chile
2 Cuba está lejos de…
☐ a) la República Dominicana ☐ b) Paraguay
3 Uruguay está cerca de…
☐ a) Colombia ☐ b) Argentina
4 Venezuela está lejos de…
☐ a) España ☐ b) Panamá
5 Nicaragua está cerca de…
☐ a) El Salvador ☐ b) Bolivia
6 México está cerca de…
☐ a) Guatemala ☐ b) Ecuador

13 Completa con *norte, sur, este* u *oeste*.

1 Guatemala está al _____ de Estados Unidos.
2 Argentina está al _____ de Chile.
3 Perú está al _____ de Bolivia y Brasil.
4 Paraguay está al _____ de Uruguay.
5 Panamá está al _____ de Nicaragua.
6 Venezuela está al _____ de Brasil.

14 ¿Cómo es tu barrio? Completa las frases con *mucho, muchos, mucha, muchas, poco, pocos, poca* o *pocas*.

1 Hay _____ restaurantes.
2 Hay _____ supermercados.
3 Hay _____ gente.
4 Hay _____ tráfico.
5 Hay _____ escuelas.
6 Hay _____ inmigrantes.

15 Completa las frases con *algún, alguno, alguna, ningún, ninguno* o *ninguna*.

1 ● ¿Hay _____ biblioteca en tu barrio?
  ■ No, no hay _____.
2 ● En mi barrio no hay _____ hospital, ¿hay _____ en tu barrio?
  ■ No, no hay _____.
3 ● ¿Hay _____ cine cerca de tu casa?
  ■ No, no hay _____.
4 ● No hay _____ centro comercial cerca de mi barrio, ¿hay _____ cerca de tu casa?
  ■ No, no hay _____.
5 ● ¿Hay _____ parada de metro cerca de aquí?
  ■ No, no hay _____.
6 ● En mi barrio no hay _____ teatro.
  ■ ¡Pues en mi barrio hay muchos!

16 ⑨ Escucha las preguntas de este concurso en un programa de radio y señala la respuesta correcta.

Pregunta 1
☐ a) En Sudamérica.
☐ b) En Norteamérica.
☐ c) En Centroamérica.

Pregunta 2
☐ a) De Honduras.
☐ b) De Venezuela.
☐ c) De Puerto Rico.

Pregunta 3
☐ a) En el centro de Guatemala.
☐ b) En el norte de Guatemala.
☐ c) En el sur de Guatemala.

Pregunta 4
☐ a) Un lago.
☐ b) Un mercado de artesanía.
☐ c) Una playa muy grande.

17 ⑩ Ahora, escucha y comprueba tus respuestas.

Una casa

18 Completa los textos de estos barrios de Barcelona.

parque	carácter	playa
tranquilo	tiendas	gente
ruidoso	caros	inmigrantes
restaurantes	transporte	bohemio
metro	centro	plaza

La Barceloneta
Está en la (1) _____ de Barcelona, cerca del puerto. Hay muchos (2) _____ y bares y siempre hay mucha gente por sus calles. Es un barrio con mucho (3) _____. No hay ningún (4) _____. Está cerca del centro de la ciudad y hay muy buen (5) _____ público.

Sants
Es un barrio popular y los pisos no son (6) _____. No es muy céntrico, pero en (7) _____ o autobús estás en el centro en 15 minutos. Está muy cerca de la (8) _____ de España, perfecto si viajas en tren o si necesitas ir al aeropuerto. En el barrio hay muchas (9) _____. Es muy (10) _____, como un pueblo.

El Raval
Está en el (11) _____ de Barcelona. Está cerca de la Rambla y del Barrio Gótico. También está cerca del puerto. Es un barrio muy (12) _____ donde viven muchos artistas y (13) _____ joven. También hay muchos (14) _____. Es un barrio multiétnico y muy interesante. Es un poco sucio y (15) _____, pero es muy divertido.

19 Escribe las partes de la casa.

cocina ● dormitorio ● terraza ● salón ● cuarto de baño ● balcón

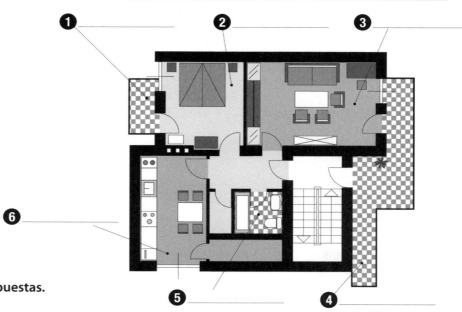

20 ¿En qué parte de la casa están normalmente estas cosas? Hay más de una opción.

Dormitorio	cuadro
Salón	
Cocina	
Cuarto de baño	
Terraza	

mesa

alfombra

cama

lavadora

sillón

estantería

armario

cocina

nevera

silla

televisor

ducha

cuadro

sofá

escritorio

cómoda

lámpara

cojín

espejo

21 Observa el dibujo y completa las frases.

derecha	debajo	encima	entre
detrás	izquierda	delante	centro

1 El sofá está a la _____ de la mesa.
2 La alfombra está _____ del sofá.
3 La mesa está _____ de la planta.
4 El sofá está a la _____ de la lámpara.
5 La estantería está _____ del sofá.
6 La planta está _____ de la mesa.
7 El sofá está _____ la mesa y la lámpara.
8 La alfombra está en el _____ del salón.

22 Completa las frases sobre tu país, tu ciudad, tu barrio, tu instituto y tu casa.

1 Mi país está en _____.
2 En mi país hay _____.
3 Mi ciudad está en _____.
4 En mi ciudad hay _____.
5 Mi barrio está en _____.
6 En mi barrio hay _____.
7 Mi instituto está en _____.
8 En mi instituto hay _____.
9 Mi casa está en _____.
10 En mi casa hay _____.

Lengua y comunicación

Marca la respuesta correcta.

1 Vivo en ____ barrio muy bonito, en ____ ciudad muy grande.
a) ☐ un / un
b) ☐ un / una
c) ☐ una / un

2 En mi pueblo no hay ____ hospitales.
a) ☐ un
b) ☐ unos
c) ☐ Ø

3 Mi ciudad no es fea; al contrario, es muy ____.
a) ☐ turística
b) ☐ bonita
c) ☐ ruidosa

4 En esta ciudad hay ____ estudiantes.
a) ☐ muchos
b) ☐ muy
c) ☐ mucho

5 Mi calle es ____ ruidosa.
a) ☐ mucho
b) ☐ muy
c) ☐ mucha

6 Mi ciudad es interesante ____ hay museos, teatros, galerías…
a) ☐ para
b) ☐ por
c) ☐ porque

7 Estudio español ____ trabajar en Perú o en México.
a) ☐ para
b) ☐ por
c) ☐ porque

8 En Salamanca no hay ____ metro.
a) ☐ el
b) ☐ unos
c) ☐ Ø

9 En Madrid ____ oficinas de turismo.
a) ☐ son
b) ☐ hay
c) ☐ están

10 Antigua ____ en Guatemala.
a) ☐ es
b) ☐ está
c) ☐ hay

11 Guatemala ____ ____ sur de México.
a) ☐ es al
b) ☐ está en
c) ☐ está al

12 Guatemala ____ lejos ____ España.
a) ☐ está / a
b) ☐ está / de
c) ☐ es / a la

13 Argentina y Uruguay ____ ____ Sudamérica.
a) ☐ está de
b) ☐ son en
c) ☐ están en

14 ¿Hay ____ restaurante mexicano en tu barrio?
a) ☐ algún
b) ☐ uno
c) ☐ alguno

15 En mi barrio no hay ____ supermercados.
a) ☐ ninguno
b) ☐ ningún
c) ☐ Ø

16 ● ¿Hay algún hospital en tu ciudad?
■ Sí, hay ____.
a) ☐ algún
b) ☐ Ø
c) ☐ uno

17 Mi piso no tiene terraza, pero tiene un ____ pequeño.
a) ☐ dormitorio
b) ☐ balcón
c) ☐ salón

18 El sofá está entre ____ la mesa y la estantería.
a) ☐ de
b) ☐ Ø
c) ☐ a

19 ____ la izquierda ____ la estantería hay un cuadro.
a) ☐ A / Ø
b) ☐ De / de
c) ☐ A / de

20 Mi barrio es muy limpio y muy tranquilo porque hay ____ gente.
a) ☐ poco
b) ☐ poca
c) ☐ pocos

Total: ____ / 10 puntos

Destrezas

 ## 1. COMPRENSIÓN ESCRITA

1 Lee las dos entradas del foro. ¿De qué países son las personas que escriben? (___ / 2 puntos)

_____   _____

2 ¿Cómo se llaman las diferentes partes de Ciudad de Guatemala?
(___ / 1 punto)

☐ barrios   ☐ distritos   ☐ zonas

3 Lee la respuesta de William. Señala la avenida la Reforma en el mapa.
(___ / 2 puntos)

4 Lee la respuesta en el foro: ¿cuál es la palabra que falta en *a, b* y *c*?
(___ / 1 punto)

5 Escribe cuatro lugares de interés que menciona William. (___ / 4 puntos)

_____   _____

_____   _____

| Hoteles | Vuelos | Alquiler | Restaurantes | Qué hacer | Foros | | Buscar |

Zonas para pasear en Ciudad de Guatemala
18 mayo, 5:01

¿Dónde puedo pasear en Ciudad de Guatemala?

adriel07
México D. F.

mensajes: 4

Responder

1 respuesta

1. Re: Zonas para pasear en Ciudad de Guatemala
19 mayo, 3:08

En Ciudad de Guatemala los domingos puedes ir a la bonita avenida la Reforma (está entre la Avenida 6 y la Avenida 7, muy cerca de la estación Plaza España o de la estación 626) para pasear y si practicas algún deporte como ciclismo, patines, etc., lo puedes hacer con toda libertad. También, puedes visitar el Hipódromo* del norte, donde **(a)** _____ unos carros de los 60. Delante encuentras el famoso Mapa en Relieve y, muy cerca, el Jardín Botánico, un lugar muy interesante con miles de especies de plantas. **(b)** _____ muchos museos como el Museo Casa Mima, Museo de los Niños, Museo Ixchel del Traje indígena, entre otros. ¡**(c)** _____ algo para todas las personas!

* Lugar donde hay carreras de caballos y carros

William H
Ciudad de Guatemala

mensajes: 3
opiniones: 12

Responder

Total: _____ / 10 puntos

2. PRODUCCIÓN ESCRITA

(Mínimo, 50 palabras)

Eres parte del equipo de edición de la revista de tu ciudad / pueblo. Escribe un breve <u>folleto turístico</u>*.

Incluye:

- dónde está tu ciudad / pueblo
- cómo es (descripción general: es limpia, grande, etc.)
- qué servicios públicos tiene
- qué lugares interesantes hay para visitar

_____

*Puedes incluir ilustraciones

▶ EVALUACIÓN DE TU PRODUCCIÓN ESCRITA

- **Lengua** (___ / 4 puntos)
- Léxico: descripción de una ciudad / pueblo
- Gramática: artículo indeterminado / cuantificadores / *hay* / *estar*

- **Contenido** (___ / 4 puntos)
- Dónde está tu ciudad / pueblo
- Cómo es (descripción general: es limpia, grande, etc.)
- Qué servicios públicos tiene
- Qué lugares interesantes hay para visitar

- **Formato: folleto turístico** (___ / 2 puntos)
- ¿Es un texto atractivo? ¿Hay diferentes letras, ilustraciones, etc.?
- ¿Tiene título?

Total: _____ / 10 puntos

3. PRODUCCIÓN Y COMPRENSIÓN ORAL (interacción)

(Mínimo, un minuto cada uno)

Con un compañero preparad un diálogo sobre vuestras ciudades favoritas.

Incluye:

- dónde está tu ciudad favorita
- cómo es
- qué servicios públicos tiene
- qué lugares interesantes hay

▶ EVALUACIÓN DE TU PRODUCCIÓN ORAL Y DE LA COMPRENSIÓN ORAL DE TU COMPAÑERO

- **Lengua** (___ / 4 puntos)
- Léxico: descripción de una ciudad
- Gramática: artículo indeterminado / cuantificadores / *hay* / *estar*

- **Contenido** (___ / 4 puntos)
- Dónde está tu ciudad favorita
- Cómo es
- Qué servicios públicos tiene
- Qué lugares interesantes hay

- **Expresión** (___ / 2 puntos)
- Hablas con fluidez
- Hablas con una buena pronunciación y entonación

- **Interacción** (___ / 10 puntos)
- Comprendes lo que dice tu compañero
- Respondes de forma coherente a lo que dice tu compañero

Total: _____ / 20 puntos

Total: _____ / 50 puntos

Mi progreso

Valora tu progreso después de esta unidad.

Mis habilidades
- Hablar sobre ciudades, barrios y partes de la casa
- Diseñar y presentar un proyecto de un barrio

Mis conocimientos
- Léxico de las partes de una ciudad, un barrio y una casa
- Artículos indeterminados
- Usos de *estar* y *hay*
- La pronunciación de la *r*
- Información sobre Guatemala y lugares de interés

Soy más consciente:
- De mi clase como lugar de cooperación
- Del hábitat y la relación con las distintas culturas
- De mi propia cultura

 Bien   Adecuado Mal

4 Hábitos

Actividades y horas

1 ¿Qué hora es?

13:00 *Es la una (en punto)*
16:25 _____
12:15 _____
11:45 _____
19:20 _____
21:55 _____
15:30 _____

2 ¿Qué haces normalmente a estas horas?

	Durante la semana	Los fines de semana
1 A las siete de la mañana	*Me levanto*	*Duermo*
2 A las diez de la mañana		
3 Sobre las doce y media		
4 De dos a cuatro		
5 A las siete de la tarde		
6 Sobre las nueve de la noche		
7 A las doce de la noche		

3 Completa esta tabla con los verbos adecuados.

	levantarse	hacer	jugar	vestirse	ir
yo			juego	me visto	
tú	te levantas				vas
él, ella, usted		hace			
nosotros/-as	nos levantamos				
vosotros/-as		hacéis			vais
ellos/-as, ustedes			juegan	se visten	

4 Contesta a estas preguntas.

1 ¿A qué hora te levantas?

_____

2 ¿A qué hora vas al instituto?

_____

3 ¿A qué hora vas a casa después del instituto?

_____

4 ¿A qué hora haces los deberes?

_____

5 ¿A qué hora cenas?

_____

6 ¿A qué hora te acuestas?

_____

5 Marca la respuesta correcta, con o sin pronombre.

1 **Me desayuno / Desayuno** muy temprano.
2 Yo **me visto / visto** a mi hermano pequeño por las mañanas.
3 Mi abuela **se levanta / levanta** a las seis.
4 Mi madre **se acuesta / acuesta** sobre las once.
5 Mi padre **se ducha / ducha** al perro en el jardín.
6 Mi profesor de español **se llama / llama** Pedro González.
7 Yo **me lavo / lavo** los dientes tres veces al día.
8 **Me hago / Hago** los deberes por la noche.

Rutina diaria

6 ¿Cuándo hace las siguientes actividades Edurne, más tarde o más temprano que Mariam?

1 Edurne se levanta a las siete y media y Mariam se levanta a las ocho menos cuarto.

_____

2 Edurne come en la cafetería a la una y media y Mariam, a la una.

_____

3 Edurne vuelve a casa a las cinco y media y Mariam, a las siete menos cuarto.

_____

4 Edurne hace los deberes sobre las ocho y media y Mariam, sobre las ocho.

_____

5 Edurne cena sobre las siete y media y Mariam, sobre las nueve.

_____

7 (11) Escucha a esta persona que habla de los hábitos de su profesión. ¿Qué profesión tiene?

_____

8 Ordena estas acciones según las haces tú.

me ducho ☐
me levanto ☐
desayuno ☐
me visto ☐
me lavo los dientes ☐
preparo la mochila ☐

9 (12) Escucha a Alberto, que habla sobre su rutina. Compara lo que escuchas con el siguiente texto. Tres cosas son diferentes, ¿cuáles?

Normalmente me levanto a las siete, desayuno y, después, sobre las ocho, me lavo los dientes, me ducho y me visto. A las ocho y media voy al instituto en autobús. Allí tengo clases de nueve a tres. A las once y media tenemos el recreo, y almuerzo en la cafetería con mis compañeros de clase. A las tres y cuarto, aproximadamente, vuelvo a casa y como con mi madre. Después, hago los deberes y juego con el ordenador durante una hora. Luego, ceno con mi familia a las nueve y media. Me acuesto sobre las once y media. Tres días a la semana juego al fútbol de seis a siete y media, y los fines de semana normalmente tenemos un partido.

10 Vuelve a leer el texto y clasifica los verbos en regulares e irregulares.

REGULARES	IRREGULARES
	tengo

11 Completa los días de la semana.

lunes, _____, _____, jueves, _____, _____, domingo

12 Lee estas frases y ordénalas de más a menos según la frecuencia.

☐ a) Me ducho casi siempre después de desayunar.

☐ b) Como generalmente con mis amigos en el instituto.

1 c) Siempre voy al instituto en autobús.

☐ d) Dos veces a la semana hago deporte después de las clases.

☐ e) Normalmente hago los deberes antes de cenar.

☐ f) A veces me levanto tarde los fines de semana.

☐ g) Nunca me acuesto después de las doce.

☐ h) Una vez a la semana voy a la piscina.

13 Compara las actividades del fin de semana o de las vacaciones con tu rutina diaria. Después, escribe frases siguiendo el modelo.

DURANTE LA SEMANA

LOS FINES DE SEMANA / DURANTE LAS VACACIONES

estudiar   levantarse   ir al cine

Yo, durante la semana me levanto siempre a las siete y media, pero los fines de semana y en vacaciones normalmente me levanto sobre las nueve o diez.

14 Escribe frases con actividades que se realizan en estas profesiones.

Jugador(a) de fútbol

Los jugadores corren muchos kilómetros todos los días.

Hombre / Mujer de negocios

Médico/-a

15 Completa el correo electrónico de Edgar con los siguientes verbos conjugados.

escuchar ● vestirse ● volver ● tener ● hacer
estar ● empezar ● preferir

Mensaje nuevo	— ↗ ✕
Destinatarios **Abuelos**	
Asunto **Hola**	

Queridos abuelos:
¿Cómo están? Yo (1) _____ muy bien, pero mi vida es muy diferente desde que vivo en España.
Me levanto a las siete y media, me ducho, (2) _____ y desayuno en quince minutos porque a las ocho y cuarto tomo el micro del colegio (aquí lo llaman autobús). Las clases (3) _____ a las nueve y terminan a la una y media, mucho más temprano que en mi colegio en Perú… Tenemos un recreo de media hora, de once a once y media. Después, no (4) _____ a casa a comer, como en Arequipa; aquí como en el comedor con mis amigos (ya tengo muchos) y tenemos dos clases más por la tarde, de tres a cinco. Los lunes y los miércoles (5) _____ baloncesto (sí, (6) _____ el baloncesto al fútbol en este colegio; el entrenador es muy simpático) y los jueves tengo clase de guitarra (gracias otra vez por el regalo). Mamá me recoge con el carro y volvemos a casa a las siete menos cuarto; descanso un poco y (7) _____ los deberes. Sobre las nueve cenamos toda la familia y entonces voy a mi habitación y leo, chateo con mis amigos de Perú, (8) _____ música o veo alguna película. A las once y media me acuesto.
Bueno, me despido.
Muchos besos y hasta pronto,
Edgar

16 Lee las actividades que hace Edgar y completa las frases en primera persona según tu rutina diaria.

1 Se levanta durante la semana a las siete y media.
Yo me levanto a _____ .

2 Se ducha antes de desayunar.
_____ .

3 Desayuna en quince minutos.
_____ .

4 Sus clases empiezan a las nueve.
_____ .

5 Los lunes y miércoles juega al baloncesto.
_____ .

6 Vuelve a casa a las siete menos cuarto.
_____ .

7 Hace los deberes antes de cenar.
_____ .

8 Cena sobre las nueve.
_____ .

9 Se acuesta a las once y media.
_____ .

17 Conjuga estos verbos irregulares.

Entender se conjuga como *empezar*

entender	
entiendo	

Dormir se conjuga como *volver*

dormir	
duermo	

Repetir se conjuga como *vestirse*

repetir	
repito	

Horarios

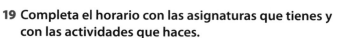

18 ¿Cuáles son tus asignaturas favoritas? ¿Las puedes clasificar de más a menos?

+
1 _____
2 _____
3 _____
4 _____
5 _____
6 _____
7 _____
8 _____
9 _____
-
10 _____

19 Completa el horario con las asignaturas que tienes y con las actividades que haces.

HORAS	lunes	martes	miércoles	jueves	viernes
	RECREO				
	COMIDA				
	Actividades extraescolares				

20 (13) **El profesor hace tres cambios en el nuevo horario. Escucha y márcalos.**

HORAS	lunes	martes	miércoles	jueves	viernes
9:00-10:00	Ciencias	Lengua y Literatura	Lengua y Literatura	Ciencias	Educación Física
10:00-11:00	Matemáticas	Inglés	Matemáticas	Filosofía	Matemáticas
11:00-11:30	RECREO				
11:30-12:30	Filosofía	Geografía	Inglés	Geografía	Tecnología
12:30-14:30	COMIDA				
14:30-15:30	Tecnología	Arte	Geografía	Inglés	Arte
15:30-16:30	Educación Física	Ciencias	Educación Cívica	Tutoría	Lengua y Literatura
Actividades extraescolares					
17:00-19:00	Baloncesto		Baloncesto	Guitarra	

21 **¿Hay diferentes tipos de inteligencia, ¿qué asignaturas relacionas con estas?**

Inteligencia lingüística-verbal: *Lengua y Literatura,*

_____

Inteligencia lógica-matemática: _____

_____

Inteligencia espacial: _____

_____

Inteligencia musical: _____

_____

Inteligencia corporal cinestésica: _____

_____

Howard Gardner, psicólogo e investigador estadounidense, creador de la teoría de las inteligencias múltiples en 1983

22 **Contesta a estas preguntas.**

1 ¿A qué hora abren las tiendas en tu país?

_____ .

2 ¿A qué hora cierran los bancos?

_____ .

3 ¿A qué hora sale la gente del trabajo?

_____ .

4 ¿A qué hora empiezan los conciertos de música?

_____ .

5 ¿A qué hora terminan las clases en los colegios o institutos?

_____ .

6 ¿Cuánto dura el recreo en los colegios o institutos?

_____ .

7 ¿A qué hora sales de casa?

_____ .

8 ¿A qué hora llegas al colegio o al instituto?

_____ .

23 **Lee el artículo y compara los horarios con los del país o países que conoces.**

LOS HORARIOS EN LAS DISTINTAS CULTURAS

Los horarios de los países tienen normalmente una tradición que se debe al clima y a las costumbres.

☺ En los países del sur, normalmente, las tiendas abren y cierran más tarde que en el norte y mucha gente come en sus casas; también, las personas se van a la cama más tarde.

☺ En los países tropicales, el día y la noche son siempre iguales y los horarios no cambian. Pero en Europa hay una gran diferencia entre los horarios de invierno y los horarios de verano.

☺ Los partidos de fútbol, en los países con calor, se juegan más tarde; en los países donde normalmente nieva en invierno hacen una pausa de unos meses.

☺ En los países con calor, los conciertos empiezan muy tarde por la noche.

☺ En las ciudades, la pausa para comer es corta, pero en los pueblos o ciudades pequeñas es más grande porque las familias pueden ir a casa a comer.

Lengua y comunicación

Marca la respuesta correcta.

1 Voy al instituto a ____. `08:15`
- a) ☐ las ocho menos cuarto de la mañana
- b) ☐ las ocho y cuarto de la mañana
- c) ☐ las ocho y cuarto de la noche

2 ¿A qué hora desayunas?
- a) ☐ Las siete y media.
- b) ☐ A las siete y media.
- c) ☐ Sobre siete y media.

3 Como en la cafetería del instituto ____, sobre la una o una y media.
- a) ☐ por la noche
- b) ☐ de madrugada
- c) ☐ al mediodía

4 Pablo ____ en bicicleta al instituto.
- a) ☐ voy
- b) ☐ vas
- c) ☐ va

5 Mis padres y yo ____ sobre las siete y media.
- a) ☐ desayunan
- b) ☐ desayuno
- c) ☐ desayunamos

6 Durante la semana mis hermanos y yo ____ levantamos a las siete.
- a) ☐ me
- b) ☐ se
- c) ☐ nos

7 Siempre salgo de casa a las ocho ____.
- a) ☐ en punto
- b) ☐ a punto
- c) ☐ y punto

8 ¿Te levantas a las seis y media? Te levantas muy ____.
- a) ☐ tarde
- b) ☐ mañana
- c) ☐ temprano

9 Voy a clase todos los días, excepto el fin de semana.
- a) ☐ Voy a clase de lunes a jueves.
- b) ☐ Voy a clase de martes a sábado.
- c) ☐ Voy a clase de lunes a viernes.

10 Normalmente, nosotros desayunamos a las siete y media ____.
- a) ☐ de la mañana
- b) ☐ de la tarde
- c) ☐ de la noche

11 Mi hermano ____ levanta muy tarde.
- a) ☐ me
- b) ☐ te
- c) ☐ se

12 Los sábados ____ con mis amigos.
- a) ☐ hago
- b) ☐ tengo
- c) ☐ salgo

13 El recreo es ____ diez y cuarto ____ diez y media.
- a) ☐ de / a
- b) ☐ sobre / a
- c) ☐ por / a

14 Las clases empiezan a las ocho y ____ a las tres.
- a) ☐ cierran
- b) ☐ terminan
- c) ☐ abren

15 El museo ____ a las diez de la mañana.
- a) ☐ abre
- b) ☐ empieza
- c) ☐ vuelve

16 Primero me ducho y después me ____.
- a) ☐ visto
- b) ☐ salgo
- c) ☐ vuelvo

17 Siempre voy al instituto en bicicleta y ____ a las ocho y media.
- a) ☐ llega
- b) ☐ llegas
- c) ☐ llego

18 Yo juego al fútbol los lunes y los miércoles: ____ a la semana.
- a) ☐ una vez
- b) ☐ dos veces
- c) ☐ tres veces

19 Desayuno con mis padres los lunes, los martes y los domingos. Desayuno con ellos ____.
- a) ☐ a veces
- b) ☐ nunca
- c) ☐ siempre

20 Mi padre trabaja de 22:00 a 06:00, trabaja ____ noche.
- a) ☐ de
- b) ☐ a
- c) ☐ por

Total: _____ / 10 puntos

Destrezas

 1. COMPRENSIÓN ESCRITA

1 Lee este artículo sobre el consumo de televisión y radio que hacen los niños, las niñas y los adolescentes peruanos y señala cuál es el objetivo de la noticia. (___ / 2 puntos)

informar ☐   criticar ☐   promocionar ☐

2 Relaciona los párrafos con la frase que mejor resume cada uno. Escribe la letra en el cuadro. (Nota: hay una frase más de las necesarias.) (___ / 8 puntos)

Párrafo 1 ☐   Párrafo 3 ☐
Párrafo 2 ☐   Párrafo 4 ☐

a Hay una preferencia por los canales internacionales.
b La actividad más frecuente es ver televisión.
c Los niños peruanos ven mucha televisión antes de comer.
d Muchos niños y adolescentes ven la televisión antes de ir al colegio, en el almuerzo.
e La actividad de ver la televisión está en el tercer lugar, según el artículo.

TV en Perú:
casi diez mil niños y adolescentes revelan sus hábitos y opiniones sobre la televisión

LUNES, 13 DE OCTUBRE

(…)

[1] La primera constatación es que ver TV está entre las tres principales actividades, de lunes a viernes, que manifiestan realizar nuestros niños, niñas y adolescentes, junto a ir a clase (99,2 %) y estudiar o hacer tareas (97,9 %). Un 99,3 % de los encuestados señala que esa es una de sus actividades semanales. Los fines de semana el liderazgo observado se mantiene, aunque con variaciones.

[2] En relación a las horas dedicadas a cada actividad, de lunes a viernes, ver TV ocupa dos horas y veinticinco minutos de su tiempo; ir a clase, cinco horas y cuarenta y seis minutos; estudiar o hacer las tareas, una hora y cincuenta minutos; jugar, una hora y veinticuatro minutos; labores del hogar, una hora y siete minutos; escuchar la radio, una hora y veintinueve minutos; hacer deporte, una hora y veintidós minutos; navegar por internet, una hora y diecisiete minutos; videojuegos, una hora; hacer tareas, tres horas y veintiséis minutos. Lo que supone que ver la televisión es la tercera actividad que más tiempo consumen las generaciones más jóvenes del país.

[3] Durante el almuerzo, ver televisión es la principal actividad que con mayor frecuencia realizan (47 %), frente a otras como conversar (35,1 %), escuchar radio (6 %) y otras.

[4] Otra constatación importante es que un 68,8% prefiere ver canales internacionales, frente a un 31,1% que prefiere los nacionales.
(…)

Extraído de https://www.facebook.com/Pacayhua

Total: _____ / 10 puntos

2. PRODUCCIÓN ESCRITA

(Mínimo, 50 palabras)

Un amigo viene a pasar una semana contigo y quiere saber más sobre tu rutina diaria. Escribe un <u>correo electrónico</u> sobre lo siguiente.

Incluye:
- a qué hora te levantas
- a qué hora vas al instituto y qué actividades realizas
- qué haces por la tarde después del instituto
- a qué hora te acuestas

▶ EVALUACIÓN DE TU PRODUCCIÓN ESCRITA

- **Lengua** (___ / 4 puntos)
- Léxico: rutina diaria
- Gramática: presente de verbos irregulares / verbos reflexivos

- **Contenido** (___ / 4 puntos)
- A qué hora te levantas
- A qué hora vas al instituto y qué actividades realizas
- Qué haces por la tarde después del instituto
- A qué hora te acuestas

- **Formato: correo electrónico** (___ / 2 puntos)
- ¿Hay saludo?
- ¿Hay despedida?

Total: _____ / 10 puntos

3. PRODUCCIÓN Y COMPRENSIÓN ORAL (interacción)

(Mínimo, un minuto cada uno)

Con un compañero, prepara un diálogo sobre vuestras vidas los fines de semana.

Incluye:
- a qué hora te levantas y te acuestas
- a qué horas desayunas, comes y cenas
- qué actividades realizas
- con qué frecuencia realizas las actividades

▶ EVALUACIÓN DE TU PRODUCCIÓN ORAL Y DE LA COMPRENSIÓN ORAL DE TU COMPAÑERO

- **Lengua** (___ / 4 puntos)
- Léxico: horas, hábitos, actividades
- Gramática: presente de verbos irregulares / verbos reflexivos / conectores temporales / expresiones de frecuencia

- **Contenido** (___ / 4 puntos)
- A qué hora te levantas y te acuestas
- A qué horas desayunas, comes y cenas
- Qué actividades realizas
- Con qué frecuencia realizas las actividades

- **Expresión** (___ / 2 puntos)
- Hablas con fluidez
- Hablas con una buena pronunciación y entonación

- **Interacción** (___ / 10 puntos)
- Comprendes lo que dice tu compañero
- Respondes de forma coherente a lo que dice tu compañero

Total: _____ / 20 puntos

Total: _____ / 50 puntos

Mi progreso

Valora tu progreso después de esta unidad.

Mis habilidades
- Hablar sobre las rutinas diarias
- Entender y escribir un correo electrónico y una entrada de blog

Mis conocimientos
- Léxico de las horas, las profesiones, los días de la semana y las asignaturas
- Verbos reflexivos y verbos irregulares del presente
- Expresiones de tiempo y frecuencia y conectores temporales
- Letras que no se pronuncian
- Información sobre Perú y sus personajes famosos

Soy más consciente
- De mi rutina diaria y mis hábitos
- Del respeto que tengo por los hábitos de mis compañeros
- De hábitos en distintas culturas

 Bien   Adecuado Mal

5 Competición

Deportes

1 **¿Cuáles de estos deportes no se juegan con un balón o pelota?**

- ciclismo
- natación
- escalada
- atletismo
- vela
- submarinismo

- voleibol
- baloncesto
- fútbol
- tenis
- esquí
- *windsurf*

2 **Escribe deportes que van con el verbo *jugar* y deportes que van con el verbo *practicar*. Algunos pueden ir con los dos verbos.**

Jugar	Practicar
al voleibol	*la natación*

3 **Escribe los verbos que corresponden a los siguientes deportes.**

1 el esquí — *esquiar*
2 la natación _____
3 el *jogging* _____
4 la escalada _____
5 el submarinismo _____
6 el ciclismo _____
7 la equitación _____
8 el kayak _____

4 **Escribe los deportes del ejercicio 1 que se juegan en los siguientes lugares.**

En una piscina	
En un campo	
En una cancha	
En una pista	
Otros	

5 **Tres de estos deportes no son olímpicos, ¿sabes cuáles son? Coméntalo con tu compañero.**

atletismo ● bádminton ● ciclismo ● escalada
tenis de mesa ● submarinismo ● *windsurf*
equitación ● waterpolo ● judo ● vela

- *Yo creo que el bádminton no es olímpico…*
- *Pues yo creo que sí…*

6 **Escribe con letras los números de la Copa Mundial de Fútbol de Brasil 2014.**

171 goles anotados por Brasil, los mismos que en Francia en **1998**

FIFA WORLD CUP Brasil

25 000 policías, soldados y agentes de seguridad en la final de Río.

35 600 000 de tuits enviados durante la semifinal Alemania-Brasil (7-1)

8 finales de Alemania, un récord

10 tarjetas rojas y **187** amarillas

2000 goles en la historia de Alemania

11 000 000 de dólares invertidos por Brasil para organizar el Mundial

8 _____
10 _____
171 _____
187 _____
1998 _____
2000 _____
25 000 _____
11 000 000 _____
35 600 000 _____

7 **(14) Escucha y escribe los números.**

23 974 _____
1 200 000 _____
583 348 _____
739 _____
240 934 _____
2015 _____

8 **¿Cuáles de estas actividades puedes practicar y cuáles no cerca de tu ciudad o de tu casa? Escribe frases.**

nadar ● bucear ● correr ● ir en bicicleta ● esquiar ● remar

Puedo nadar en la piscina de mi barrio.

_____

_____

_____

_____

Gustos

9 **Lee los gustos de estas dos chicas y escribe tres cosas que les gustan a las dos.**

Me gusta mucho la música latina, especialmente la salsa. Juego al fútbol en el equipo de mi barrio y también practico el tenis los fines de semana. Me gusta mucho el cine, las películas de terror son mis favoritas, y me encantan los concursos de la televisión. Me gusta mucho cocinar para mi familia, especialmente comida mexicana.

MARÍA FERNANDA

Me gusta mucho ir al cine con mis amigos los fines de semana y también ir de compras. Voy a clases de violín y me encanta la música clásica. No me gusta nada jugar al fútbol, juego al baloncesto en mi instituto. Me gusta mucho ver los concursos de televisión, especialmente los de cocina, porque me gusta mucho cocinar.

ADELA

A las dos les gusta _____

_____ .

10 **Escribe tres actividades que te gusta hacer en tu tiempo libre y tres que no te gusta hacer.**

Me gusta	
No me gusta	

11 **El verbo *encantar* funciona como *gustar*. Primero, completa el cuadro. Después, escribe tres cosas que te encantan.**

A mí		
	te	
A él		
A ella		
A usted		
	nos	encanta / encantan
	nos	
	os	
	os	
A ellos		
A ellas		
A ustedes		

1 _____

2 _____

3 _____

12 **¿Cuál es la opción correcta: *gusta* o *gustan*? Marca la respuesta correcta.**

1 A mí me **gusta / gustan** mucho jugar al tenis con mis amigos.
2 A mis padres les **gusta / gustan** hacer yoga.
3 A nosotros no nos **gusta / gustan** los deportes de aventura.
4 ¿A ti te **gusta / gustan** la natación?
5 A mis amigos les **gusta / gustan** hacer vela.
6 A mí no me **gusta / gustan** los deportes de equipo.
7 ¿A vosotros os **gusta / gustan** la nueva piscina?
8 A mi hermana le **gusta / gustan** las competiciones de esquí.

13 **Reacciona con *a mí sí / a mí no / a mí también / a mí tampoco,* según tus gustos.**

1 A mí me encanta nadar en el mar.

_____

2 A nosotros nos gusta esquiar en invierno.

_____

3 A mí no me gustan los deportes de competición.

_____

4 A mí hermano le gusta ver el tenis por televisión.

_____

5 A mis amigos les gusta ir en bicicleta al colegio.

_____

6 A mí me gusta correr por la mañana antes de ir al instituto.

_____

14 (15) Escucha estas frases y reacciona con *a mí sí / a mí no / a mí también / a mí tampoco.*

1 _____   5 _____
2 _____   6 _____
3 _____   7 _____
4 _____   8 _____

Concursos

15 Completa estas frases con los siguientes verbos. ¡Cuidado, algunos verbos van conjugados!

perder ● empatar ● competir ● concursar
ganar ● preguntar ● responder ● participar

1 Si quieres _____ en el concurso, es necesario mandar un correo electrónico con tus datos personales.
2 No puedes _____ a tu pareja. Tienes que contestar tú solo.
3 Tienes que practicar mucho para _____ el concurso.
4 _____ el equipo con menos puntos.
5 Si queréis _____, tenéis que seguir todas las reglas.
6 Los concursantes _____ si terminan al mismo tiempo.
7 Para pasar la primera prueba del concurso hay que _____ a una pregunta correctamente.
8 El último día solo _____ los finalistas de los concursos anteriores.

16 ¿Tienes estas características? Date una puntuación del 1 al 10 (10 es el máximo). ¿Crees que puedes ser un buen concursante?

TEST

- Tengo buena memoria. 1 2 3 4 5 6 7 8 9 10
- Tengo buenos conocimientos de cultura general. 1 2 3 4 5 6 7 8 9 10
- Tengo experiencia en concursos. 1 2 3 4 5 6 7 8 9 10
- Soy simpático. 1 2 3 4 5 6 7 8 9 10
- Soy valiente. 1 2 3 4 5 6 7 8 9 10
- Soy competitivo. 1 2 3 4 5 6 7 8 9 10
- Soy inteligente. 1 2 3 4 5 6 7 8 9 10
- Soy abierto. 1 2 3 4 5 6 7 8 9 10

17 ¿Qué es obligatorio o necesario para los siguientes concursos? Escribe las frases en tu cuaderno. Recuerda utilizar *tener que* + infinitivo, *poder* + infinitivo o *es necesario / obligatorio / importante* + infinitivo.

Concurso de belleza Concurso cultural
Concurso de música Concurso deportivo

18 Con un compañero, escoged solo las reglas para la clase de español que os gustan.

☐ 1 Tienes que hablar español.
☐ 2 No puedes utilizar el diccionario.
☐ 3 Tienes que hacer los deberes todos los días.
☐ 4 No puedes preguntar cómo se dice una palabra en tu lengua.
☐ 5 No puedes hablar con los compañeros.
☐ 6 Puedes cometer errores y no es un problema.
☐ 7 Tienes que saludar al entrar en clase.
☐ 8 Tienes que ser puntual.
☐ 9 Puedes beber agua y comer si tienes hambre.
☐ 10 Tienes que dejar la clase y los materiales ordenados al final de la clase.
☐ 11 Puedes levantarte de la silla si necesitas moverte.
☐ 12 Tienes que tener tus materiales de clase preparados.
☐ 13 Tienes que respetar a todos tus compañeros y a tu profesor.
☐ 14 Puedes hacer siempre preguntas.

19 ¿Puedes ahora añadir cinco reglas más que son importantes para ti, para la clase de español o para otra asignatura?

- _____
- _____
- _____
- _____
- _____

20 Completa la tabla de estos tres verbos irregulares. Ten en cuenta que *perder* se conjuga como *empezar* (e > ie) y *competir,* como *vestirse* (e > i).

	perder	jugar	competir
yo		juego	
tú	pierdes		
él, ella, usted			compite
nosotros/-as		jugamos	
vosotros/-as			competís
ellos/-as, ustedes	pierden		

21 Busca en la unidad seis palabras que se escriben con *g*.

1 _____ 4 _____

2 _____ 5 _____

3 _____ 6 _____

Y otras seis palabras que se escriben con *j*.

7 _____ 10 _____

8 _____ 11 _____

9 _____ 12 _____

22 ⑯ Lee y escucha estas frases. Subraya los <u>sonidos fuertes</u> de la *g* / *j*.

1 Mis amigos y yo jugamos al fútbol todos los jueves.

2 En el trabajo de mi madre hay mucha gente joven.

3 Puedes colocar el cojín rojo debajo del espejo.

4 A mi abuelo le gusta viajar con sus hijos.

5 Generalmente, escojo bien a mis amigos.

23 Ahora, con un compañero, leed las frases en voz alta y ayudaros con la corrección.

24 Lee estos extractos de textos sobre deportes y concursos. Después, relaciónalos con las siguientes tipologías. ¿Qué te ayuda a reconocer qué tipo de textos son?

Texto informativo ☐ Conversación ☐

Folleto turístico ☐ Artículo de opinión ☐

Entrada de foro ☐

❶

COCINA

Temas variados | Preguntas frecuentes | Calendario | Comunidad | Acciones del Foro

ELIGE A TU COCINERO

Tapiata
2014

Hola a todos:
El jueves es la final del concurso de cocina. ¡Me encanta este programa! Puedes aprender muchos trucos y recetas, pero es verdad que es demasiado competitivo… ¿Queréis votar al mejor cocinero? Empiezo yo: para mí, el cocinero de San José es el mejor.

❷

Los Juegos Olímpicos son la competición deportiva más importante del mundo. Participan más de doscientos países en veintiséis deportes. Existen los Juegos Olímpicos de verano y los Juegos Olímpicos de invierno, y también los Juegos Paralímpicos para atletas con discapacidades corporales, mentales o sensoriales. El objetivo de los Juegos Olímpicos es unir a los países a través de la competición.

❸

No come, duerme menos de siete horas, todo el día bailando… Me parece excesivo todo este ejercicio para su cuerpo.

Pero es que es un concurso muy importante y ella está entre las finalistas…

Sí, sí, pero…, ¿y si no gana? ¿Y su frustración?

❹

LOS CONCURSOS DE BELLEZA

Creo que esos concursos de belleza deberían desaparecer. Es una forma clara de sexismo y de culto al cuerpo. ¿Y la mente, la inteligencia? ¿Dónde está?

❺

Monteverde COSTA RICA

El paraíso de la tirolina

¿Te gustan los deportes de riesgo? ¿Piensas que eres valiente?

Entonces, la tirolina es tu deporte: es muy divertido y también un deporte extremo para estar en forma. Uno de los mejores lugares para practicar la tirolina es Monteverde, en Costa Rica: combina aventura y la impresionante naturaleza del Bosque Nuboso de Monteverde. Los cables son muy largos, más de setenta metros, y más de 140 metros de alto. El trayecto dura aproximadamente tres horas, con una distancia de casi tres kilómetros.

Pide más información en tirolinamonteverde@monteverde.com

25 Lee este pequeño artículo de opinión de la revista de un instituto y después completa las frases con *competición* o *colaboración*.

¿COMPETICIÓN O COLABORACIÓN?

En mi opinión, competición es lo contrario de colaboración. En la competición se lucha *contra* los otros y en la colaboración se lucha *con* los otros. Creo que en la competición hay un objetivo individual, que es conseguir un prestigio, un premio, un reconocimiento. En la colaboración, sin embargo, hay un objetivo común que TODOS quieren y pueden conseguir.

La competición existe en la naturaleza, entre todos los organismos. Competimos para sobrevivir. También en el mundo de los negocios las compañías compiten entre sí. A mí me parece que la competición es natural y necesaria en el ser humano, aunque es verdad que esta puede mejorar al individuo, pero también puede hacerle mucho daño.

Por otro lado, creo que la colaboración es la base de la sociedad y que las personas trabajan por los otros y no contra los otros. En educación, por ejemplo, los especialistas hablan del aprendizaje cooperativo, que según algunos psicólogos es la mejor manera de aprender. El lingüista Vigotsky dice: «Si quieres aprender, comparte».

En el campo de los deportes, por ejemplo, la mayoría son competitivos. Competimos contra el otro equipo, contra uno mismo o, en algunos casos, contra la naturaleza (en deportes como escalada y *rafting*, entre otros). Cuando hacemos deporte, expulsamos una hormona llamada endorfina, que puede ser adictiva; esto también le ocurre al público que observa una competición deportiva. Por eso, la competición gusta y puede ser una adicción.

Creo que la colaboración, y no la competición, tiene que ser la base de la educación.

1 En la _____ se lucha contra los otros.

2 La _____ con los otros estudiantes es muy importante para aprender una lengua.

3 Es necesaria la _____ para sobrevivir en la naturaleza. Solo los más fuertes ganan.

4 En la _____ las personas trabajan por los otros.

5 La _____ puede hacer mucho daño.

6 La _____ puede ser una adicción.

7 La _____ es la base de la sociedad.

26 (17) Completa este *podcast* sobre el fútbol con las siguientes palabras. Después, escucha y comprueba.

Mundo ● equipos ● competiciones ● favoritos ● deportes ● *la Roja* ● Copa ● jugadores

El fútbol es uno de los (1) _____ más practicados en todo el mundo. Existen muchas (2) _____ de fútbol, pero la más importante es la (3) _____ del Mundo. También se llaman *los mundiales de fútbol* y se celebran cada cuatro años desde 1930. Estos duran aproximadamente un mes. Participan treinta y dos (4) _____.

De los países latinos, Brasil, Argentina, Uruguay, Colombia, Costa Rica y España son siempre (5) _____. La selección de fútbol española, llamada (6) _____ por el color de su uniforme, tiene una Copa del (7) _____.

En España hay (8) _____ muy famosos, como Iniesta o Casillas.

Lengua y comunicación

Marca la respuesta correcta.

1 Yo ____ atletismo los martes y jueves.
a) ☐ juego al
b) ☐ practico
c) ☐ entreno

2 Practico todos los días el *jogging* y ____ muchos kilómetros.
a) ☐ corro
b) ☐ buceo
c) ☐ nado

3 Montar a caballo significa practicar ____.
a) ☐ la natación
b) ☐ la equitación
c) ☐ el submarinismo

4 Practico el piragüismo todas las semanas y tengo que ____ muchas horas.
a) ☐ correr
b) ☐ esquiar
c) ☐ remar

5 Puedes practicar el submarinismo en ____.
a) ☐ una piscina
b) ☐ una cancha
c) ☐ una pista

6 Cuarenta y noventa son ____.
a) ☐ ciento veinte
b) ☐ ciento treinta
c) ☐ ciento cuarenta

7 Un año tiene ____ días.
a) ☐ doscientos sesenta y cinco
b) ☐ trescientos setenta y cinco
c) ☐ trescientos sesenta y cinco

8 A todos mis compañeros de clase ____ los deportes de aventura.
a) ☐ les gusta
b) ☐ le gustan
c) ☐ les gustan

9 A mi madre y a mí ____ gusta ir en moto.
a) ☐ nos
b) ☐ me
c) ☐ les

10 A Beatriz ____ gustan mucho las matemáticas.
a) ☐ se
b) ☐ le
c) ☐ les

11 ¿A ti te gusta la escalada?
a) ☐ Sí, te encanta.
b) ☐ Sí, me encanta.
c) ☐ Sí, le encanta.

12 A mí no me gusta jugar al voleibol. ¿Y a ti?
a) ☐ A mí no.
b) ☐ A mí también.
c) ☐ A mí sí.

13 En un concurso de música es necesario ____ bien.
a) ☐ cocinar
b) ☐ bucear
c) ☐ cantar

14 En el concurso no ____ hablar con tu pareja.
a) ☐ puedes
b) ☐ podéis
c) ☐ podemos

15 La pareja que ____ el concurso, recibe un premio.
a) ☐ gana
b) ☐ empata
c) ☐ pierde

16 Para participar en el concurso es necesario ____ una inscripción.
a) ☐ de hacer
b) ☐ que hacer
c) ☐ hacer

17 ¿Vosotros ____ esta noche?
a) ☐ competimos
b) ☐ competís
c) ☐ compiten

18 Para ser concursante tienes ____ tener más de dieciséis años.
a) ☐ de
b) ☐ que
c) ☐ ø

19 Los concursantes que ____ esta semana, no pueden llegar a la final.
a) ☐ pierden
b) ☐ pierdes
c) ☐ pierde

20 ¿A ustedes no ____ los deportes?
a) ☐ les gusta
c) ☐ os gustan
c) ☐ les gustan

Total: _____ / de 10 puntos

Destrezas

 1. COMPRENSIÓN ESCRITA

1 **Lee el texto** *La historia de superación de Daniel Stix, el protagonista del anuncio de Cola-Cao* **y observa la fotografía: ¿a qué hacen referencia? Selecciona la opción correcta.** (___ / 2 puntos)

- Una entrevista en la televisión y un blog ☐
- Una entrevista en la radio y un libro ☐
- Una encuesta en la radio y un libro ☐
- Una presentación y un foro ☐

2 **Lee el párrafo 1 y busca en el texto.** (___ / 6 puntos)

1 La palabra que significa *actor*. _____
2 La palabra que significa *publicidad*. _____
3 La palabra que significa *distintos*. _____

3 **Lee los párrafos 2 y 3. Marca con una cruz (X) la frase correcta.** (___ / 2 puntos)

1 A Daniel le encanta el deporte, pero no lo practica mucho. ☐

2 Daniel quiere practicar deportes porque le encanta, y mucha gente lo ayuda. ☐

3 A Daniel le gusta el deporte, pero solo practica dos: esquí y bicicleta de montaña ☐

4 Daniel no disfruta del deporte ☐

|◀◀ ▶ ▶▶| 1:23 ●————————————● 8:30 🔊 🖼

La historia de superación de Daniel Stix, el protagonista del anuncio de Cola-Cao

- **El deporte le ha servido de motor, y lo cuenta en** *Con ruedas y a lo loco*
- **«La vida es cuestión de coraje y de mucha valentía»**

MADRID 01.10.2014

[1] Seguro que su nombre y, sobre todo, su cara, les suena por ser el protagonista de un anuncio de Cola-Cao* en el que habla de los diferentes deportes que practica en silla de ruedas: esquí, natación, *kitesurf* y bicicleta de montaña. Prácticamente no hay deporte que se le resista (…).

[2] «Desde siempre me ha encantado el deporte y estar activo, y gracias a muchas fundaciones y a mucha gente que ayuda a los que queremos practicar deporte en silla de ruedas he sido capaz de tantas cosas», ha explicado Daniel Stix en *Las mañanas de RNE***.

[3] Ahora todas sus experiencias las plasma en el libro *Con ruedas y a lo loco,* en el que el mensaje principal que pretende transmitir es que en la vida «hay que ir más allá de las dificultades, no pensar en las barreras, hacer lo que te gusta y disfrutar con ello». Por eso el subtítulo es así de potente: «Si te caes siete veces, levántate ocho». (…) A sus 17 años tiene las cosas muy claras: «Al final es cuestión de coraje y mucha valentía».

---

* Marca de cacao en polvo
** Radio Nacional de España

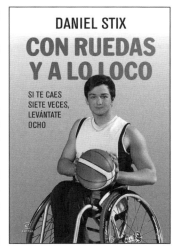

DANIEL STIX
CON RUEDAS Y A LO LOCO
SI TE CAES SIETE VECES, LEVÁNTATE OCHO

Extraído de http://www.rtve.es

Total: _____ / 10 puntos

2. PRODUCCIÓN ESCRITA

(Mínimo, 50 palabras)

Participas en un foro de deportes. Escribe una <u>entrada en el foro</u>.

Incluye:
- qué deporte(s) te gusta(n)
- qué deporte(s) practicas
- tu deporte favorito
- tu deportista favorito

▶ EVALUACIÓN DE TU PRODUCCIÓN ESCRITA

- **Lengua** (___ / 4 puntos)
- Léxico: deportes
- Gramática: presente / verbo *gustar*

- **Contenido** (___ / 4 puntos)
- Qué deporte(s) te gusta(n)
- Qué deporte(s) practicas
- Tu deporte favorito
- Tu deportista favorito

- **Formato: entrada de foro** (___ / 2 puntos)
- ¿Está tu nombre?
- ¿El estilo es informal?

Total: _____ / 10 puntos

 ## 3. PRODUCCIÓN ORAL (expresión)

(Mínimo, un minuto)

Habla de tus concursos de televisión favoritos.

Incluye:
- qué concursos te gustan
- a qué hora y qué día de la semana los ves
- describe el concurso
- explica cuáles son las reglas más importantes

▶ EVALUACIÓN DE TU PRODUCCIÓN ORAL

- **Lengua** (___ / 4 puntos)
- Léxico: concursos, horas, días de la semana
- Gramática: *tener que / poder / es* + adjetivo + infinitivo

- **Contenido** (___ / 4 puntos)
- Qué concursos te gustan
- A qué hora y qué día de la semana los ves
- Describe el concurso
- Explica cuáles son las reglas más importantes

- **Expresión** (___ / 2 puntos)
- Hablas con fluidez
- Hablas con una buena pronunciación y entonación

Total: _____ / 10 puntos

 ## 4. COMPRENSIÓN ORAL

(18) **Escucha a Javier y Manuela, que hablan de sus gustos y de las actividades que practican. Marca con una cruz quién dice estas frases.**

	Manuela	Javier
1 Le gusta el tenis.		
2 Practica los martes y los jueves.		
3 Juega con el equipo del colegio.		
4 Toca la guitarra eléctrica.		
5 Quiere ir a un concurso de televisión.		

Total: _____ / 10 puntos

Total: _____ / 50 puntos

Mi progreso

Valora tu progreso después de esta unidad.

Mis habilidades
- Hablar, entender, escuchar y escribir sobre deportes, gustos y concursos
- Entender y escribir una entrada en un foro y un artículo de una revista

Mis conocimientos
- Léxico de los deportes, los números y los concursos
- Verbos *gustar* y *encantar*
- Verbos *tener (que)* y *poder*
- Diferencia entre *g* y *j*
- Información sobre Costa Rica y el ecoturismo

Soy más consciente
- De la competición a través del deporte y los concursos
- Del significado de la colaboración y el triunfo
- De lo que significa la competición

 Bien   Adecuado   Mal

6 Nutrición

Comidas y bebidas

1 Escribe dos nombres de alimentos en cada grupo. Puedes buscar en el diccionario o en internet. Después, compáralos con los de tu compañero.

Lácteos

_____

_____

Fruta

_____

_____

Cereales

_____

_____

Embutido

_____

_____

Verduras y legumbres

_____

_____

Pescado

_____

_____

Carne

_____

_____

Frutos secos

_____

_____

2 ¿Cuál de estas actividades te gusta más y cuál te gusta menos? Escribe también lo que más y lo que menos le gusta a tu compañero.

¡Lo que más me gusta es cocinar!

comer en casa ● probar comida nueva ● cocinar
comer en un restaurante ● preparar el desayuno
tomar un café ● ir a comprar la comida ● lavar los platos

1 Lo que más me gusta es _____
_____ .

2 Lo que menos me gusta es _____
_____ .

3 Lo que más le gusta a _____ es
_____ .

4 Lo que menos le gusta a _____ es
_____ .

3 Clasifica los siguientes alimentos. Puedes mirar la pirámide de alimentación de la página 71 del libro del alumno.

caramelos ● mariscos ● agua ● aceite de oliva ● legumbres
frutos secos ● embutidos ● huevos ● helados ● pan ● queso

SANOS	
POCO SANOS	

4 Escribe qué desayunas, comes, meriendas y cenas si quieres comer de una manera «sana».

Desayuno: _____

Como: _____

Meriendo: _____

Ceno: _____

5 Elige una opción. Compara tus frases con las de tu compañero.

1 Como pescado **más / menos** de tres veces a la semana.
2 Como verduras **más / menos** de una vez a la semana.
3 Como pasta **más / menos** de una vez a la semana.

4 Como helado **más / menos** de dos veces a la semana.
5 Como huevos **más / menos** de una vez a la semana.
6 Bebo agua **más / menos** de cinco veces al día.

6 Responde a las preguntas.

1 ¿Cuántas veces a la semana tomas leche? _____
2 ¿Cuántas veces a la semana comes carne? _____
3 ¿Cuántas veces al día bebes zumos de frutas? _____
4 ¿Cuántas veces al día comes pan? _____

5 ¿Cuántas veces a la semana comes fruta? _____
6 ¿Cuándo comes arroz? _____
7 ¿Cuántas veces a la semana comes patatas? _____
8 ¿Cuándo tomas café? _____

Hábitos alimenticios

7 ¿Conoces estas comidas? ¿De qué países son típicas? Escribe frases.

México ● Perú ● Argentina ● Italia ● España ● ~~Japón~~ ● Marruecos ● Inglaterra

| 1 | 2 | 3 | 4 |

El *sushi se come en Japón.*   La *pizza* _____.   El ceviche _____.   Las empanadas criollas _____.

| 5 | 6 | 7 | 8 |

El *roastbeef* _____.   Los burritos _____.   El cuscús _____.   Los churros _____.

8 ¿Conoces la cocina peruana? Lee el texto. Una de las siguientes informaciones es falsa, ¿sabes cuál?

1 La cocina peruana tiene influencias de América, Europa, África y Asia.
2 En la costa tienen más de dos mil sopas diferentes.
3 En Perú hay más de 250 postres típicos.
4 En Perú se come más carne que pescado.
5 En Perú se preparan muchos platos con arroz y patatas.
6 La cocina peruana se conoce cada día más en el mundo.

LA COCINA PERUANA

La cocina peruana es una de las más ricas del mundo. Es el resultado de la fusión de la cocina tradicional peruana/precolombina con la cocina española y con la influencia de la inmigración africana, francesa, china, japonesa e italiana. Una gastronomía de cuatro continentes en un solo país, que ofrece una enorme variedad de platos típicos peruanos en constante evolución. En la costa peruana, por ejemplo, existen más de dos mil sopas diferentes y en el país hay más de 250 postres tradicionales. En Perú se comen muchos platos con arroz, patatas, tomates y especialmente pescado, y uno de los ingredientes básicos es el ají (también llamado chile). Las personas que visitan Perú por primera vez se sorprenden cuando descubren la riqueza de la cocina peruana. Pero no solo los que visitan Perú tienen la oportunidad de probar sus exquisitos platos; cada día existen más restaurantes especializados en la gastronomía peruana en diversas ciudades del mundo.

9 ¿Qué se come o se bebe en tu país? Marca las frases correctas.

1 Se come mucho arroz. ☐
2 Se come mucho pescado. ☐
3 Se toman muchos productos lácteos. ☐
4 Se bebe mucha leche. ☐
5 Se cocina con aceite. ☐
6 Se come mucho pan. ☐
7 Se beben muchos zumos. ☐
8 Se come mucha carne. ☐
9 Se come mucha pasta. ☐
10 Se comen muchas verduras. ☐

10 ¿Recuerdas qué ingredientes se necesitan para hacer un gazpacho? Completa el texto con las siguientes palabras.

tres cucharadas • un diente • un cuarto de kilo • un kilo
un trozo • un vaso • una cucharada

FLORINDA 25 marzo •12.24h

¿Alguien sabe qué ingredientes necesito para hacer un gazpacho para cuatro personas? Esta noche tengo invitados en casa y quiero preparar un gazpacho de primer plato.

1 respuesta

MEGACHEF 25 marzo •13.20h

Hola, Florinda. Para preparar un gazpacho para cuatro personas necesitas (1) _____ de tomates (es la base de este plato), un pimiento y (2) _____ de pepinos, (3) _____ de cebolla y también de pan, (4) _____ de ajo, (5) _____ de aceite de oliva, otras tantas de vinagre y (6) _____ pequeña de sal. ¡Ah!, y otra cosa muy importante, (7) _____ de agua.

11 Combina las siguientes palabras con los verbos. Hay muchas posibilidades.

las patatas • las cebollas • los huevos • la verdura • el pan
el embutido • la fruta • la carne • el pescado

Cortar	Lavar	Pelar	Batir	Freír

12 ¿Sabes cómo se hace la tortilla española? Completa la receta con el pronombre impersonal *se* y uno de los siguientes verbos.

freír • ~~pelar~~ • batir • cortar • añadir
picar • echar • meter • pasar

TORTILLA DE PATATAS

Ingredientes (para 4 personas):
- 4 huevos
- 5 patatas
- 1 cebolla
- sal
- aceite de oliva

Primero (1) *se pelan* las patatas y (2) _____ en trozos pequeños. Después, (3) _____ en una sartén con aceite de oliva. Al mismo tiempo, (4) _____ los huevos con un poco de sal en un bol. (5) _____ la cebolla en trozos pequeños y (6) _____ los trozos de cebolla a la sartén donde están las patatas. Cuando las patatas y la cebolla están fritas (unos veinte minutos a fuego lento), (7) _____ en el bol con el huevo batido. Después, (8) _____ la mezcla del huevo, las patatas y la cebolla a la sartén. Unos minutos después, con un plato grande, le damos la vuelta. Volvemos a dejar la mezcla en la sartén unos minutos. Finalmente, (9) _____ la tortilla a un plato y ¡ya está lista para comer!

13 (19) Ahora, escucha la receta y comprueba.

Comer fuera

14 Clasifica los siguientes alimentos en la tabla.

pepino · leche · tomate · agua · fresa · pimiento · manzana · melocotón · mate · cebolla · ajo · té · maíz · café · naranja · lechuga · zumo · bacalao · hamburguesa · patata · bistec · plátano · dorada · pollo

Bebida	Fruta	Verdura	Carne	Pescado

15 ¿Qué es? Lee las descripciones y escribe al lado a qué comida o bebida se refieren.

paella ● ensalada ● zumo ● café con leche ● pizza ● helado

1 Es una comida que se hace al horno y que lleva muchas cosas, principalmente *mozzarella*. _____

2 Es un plato que se hace con arroz, lleva pescado y también puede llevar carne. _____

3 Es un plato que se hace con diferentes verduras. Normalmente lleva tomate, lechuga y muchas otras cosas. _____

4 Es un postre que se come normalmente en verano. Se toma muy frío. _____

5 Es una bebida que se hace con fruta. _____

6 Es una bebida que se toma en el desayuno o también después de comer. _____

16 Todos estos platos son típicos de España. Busca información sobre ellos y escribe qué son o qué llevan.

1 Calamares a la romana: _____

_____

2 Fabada: _____

_____

3 Cocido: _____

_____

4 Tortilla: _____

_____

5 Torrijas: _____

_____

6 Arroz a la cubana: _____

17 Completa el menú con las palabras que faltan.

sopa ● flan ● de temporada ● de la casa ● al horno
asados ● verdura ● croquetas ● con patatas ● arroz

MENÚ DEL DÍA

11 €

Primer Plato

(1) _____ de pescado

Ensalada (2) _____

(3) _____ a la cubana

(4) _____ a la plancha

Segundo plato

Bistec con pimientos (5) _____

Dorada (6) _____

Pollo (7) _____

(8) _____ de bacalao

Postre

(9) _____ de la casa

Yogur

Helado

Fruta (10) _____

Pan, vino o agua y café incluidos.

18 ¿Cuál es el postre que más te gusta y el que menos?

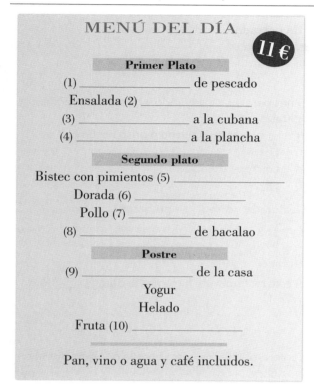

❶ el flan

❷ el helado

❸ el arroz con leche

❹ la macedonia de frutas

❺ el yogur

❻ el pastel de chocolate

❼ los frutos secos

❽ los quesos

El postre que más me gusta es / son _____.

El postre que menos me gusta es / son _____.

19 ⟨20⟩ Completa las frases con los verbos que faltan. Después, escucha y comprueba.

trae ● lleva ● quiero ● pone ● preparan ● hacemos ● es

1 ● ¿Qué _____ la dorada?
  ■ Un pescado.

2 ● ¿Qué _____ la ensalada?
  ■ Lechuga, tomate, aceitunas, frutos secos…

3 Me _____ la cuenta, por favor.

4 De primero _____ la sopa.

5 ¿Me _____ un té, por favor?

6 ● El pescado, ¿cómo lo _____?
  ■ Lo _____ al horno.

20 ¿De qué hablan?

1 Lo tomo siempre con hielo.
  a) la fruta   b) los helados   c) el café

2 Las hago siempre al horno.
  a) los tomates   b) las patatas   c) la carne

3 Los tomo por la mañana.
  a) el desayuno   b) las naranjas   c) los cereales

4 La como normalmente con tomates.
  a) la ensalada   b) el pan   c) los zumos

5 Los hago siempre fritos.
  a) las verduras   b) los huevos   c) el arroz

6 La como siempre muy hecha.
  a) el té   b) la carne   c) el pescado

21 Responde a las preguntas como en el ejemplo.

1 ¿Cómo tomas el café?   *Lo tomo con leche.*

2 ¿Cómo tomas la leche?   _____

3 ¿Cómo comes los huevos?   _____

4 ¿Cómo tomas el agua?   _____

5 ¿Cómo comes el pan?   _____

6 ¿Cómo comes las verduras?   _____

7 ¿Cómo comes el pollo?   _____

8 ¿Cómo tomas las patatas?   _____

22 En parejas, escribid una comida o una bebida que empiece por las siguientes letras. Gana la pareja que tiene más palabras.

A _____	I _____	R _____
B _____	J _____	S _____
C _____	L _____	T _____
D _____	M _____	U _____
E _____	N _____	V _____
F _____	O _____	Z _____
G _____	P _____	
H _____	Q _____	

Lengua y comunicación

Marca la respuesta correcta.

1 Cuando nos levantamos por la mañana, ____.
- a) ☐ merendamos
- b) ☐ cenamos
- c) ☐ desayunamos

2 Soy vegetariano, no como carne y tampoco como ____.
- a) ☐ fruta
- b) ☐ pescado
- c) ☐ legumbres

3 Por la mañana ____ que más me gusta son los cereales.
- a) ☐ la
- b) ☐ los
- c) ☐ lo

4 Como fruta ____ dos y cuatro veces al día.
- a) ☐ entre
- b) ☐ más
- c) ☐ menos

5 Bebo agua ____ seis veces al día.
- a) ☐ más que
- b) ☐ más
- c) ☐ más de

6 En España ____ mucha fruta y también verdura.
- a) ☐ se come
- b) ☐ se comen
- c) ☐ come

7 Un ingrediente importante para hacer gazpacho es ____ de pan.
- a) ☐ un trozo
- b) ☐ una cucharada
- c) ☐ un diente

8 Para hacer una tortilla de patatas, primero ____ los huevos.
- a) ☐ se pican
- b) ☐ se baten
- c) ☐ se pelan

9 Después ____ los huevos con las patatas.
- a) ☐ se quitan
- b) ☐ se mezclan
- c) ☐ se añaden

10 ● ¿Qué desea?
■ De primero ____ una ensalada.
- a) ☐ quiero
- b) ☐ llevo
- c) ☐ como

11 ● Perdone, ¿qué ____ el bacalao?
■ Un pescado.
- a) ☐ prepara
- b) ☐ lleva
- c) ☐ es

12 ● Pues para mí, de segundo, el bistec con pimientos y patatas.
■ ¿ ____ quiere muy hecho o poco hecho?
- a) ☐ Los
- b) ☐ Lo
- c) ☐ Ø

13 Y la dorada, ¿cómo ____ preparan?
- a) ☐ la
- b) ☐ las
- c) ☐ lo

14 En este restautrante hacemos la dorada ____ horno.
- a) ☐ al
- b) ☐ el
- c) ☐ a

15 ¡Camarero! ¿Me ____ otra botella de agua, por favor?
- a) ☐ pone
- b) ☐ lleva
- c) ☐ quiero

16 Perdone, por favor, ¿me ____ la cuenta?
- a) ☐ lleva
- b) ☐ pone
- c) ☐ trae

17 Yo siempre como la carne muy ____.
- a) ☐ horno
- b) ☐ hecha
- c) ☐ plancha

18 A mí me gusta el café ____ azúcar.
- a) ☐ solo y sin
- b) ☐ solo y al
- c) ☐ con hielo e

19 En China se come mucho pescado ____ vapor.
- a) ☐ con
- b) ☐ de
- c) ☐ al

20 Yo desayuno pan ____ mermelada.
- a) ☐ con mantequilla de
- b) ☐ mantequilla con
- c) ☐ con mantequilla y

Total: ____ / de 10 puntos

Destrezas

 1. COMPRENSIÓN ESCRITA

1 Lee la receta y escribe debajo de la fotografía qué tipo de plato es. Elige entre las siguientes opciones. (___ / 2 puntos)

BEBIDA	TAPA	POSTRE

2 ¿Cómo se llama el conjunto de alimentos que se necesitan para preparar un plato? Escribe el nombre en el espacio que hay debajo del autor de la receta. (___ / 2 puntos)

3 ¿Cómo se preparan las tostadas de aguacate y anchoas? Lee el texto y elige los verbos adecuados. (___ / 6 puntos)

TOSTADAS DE AGUACATE Y ANCHOAS

● Autor: **Fernando Romero**

1 barra de pan
2 aguacates
6-12 anchoas
3 cebollas
3 tomates
aceite de oliva

Preparación

(1) Se meten / Se pelan / Se echan los aguacates, las cebollas y los tomates y (2) se corta / se echa / se bate todo en trozos pequeños. (3) Se corta / Se pela / Se mete el pan en rebanadas finas y, después, se hacen tostadas. (4) Se mete / Se corta / Se pone sobre el pan un poco de aguacate, cebolla y tomate y encima (5) se añaden / se meten / se baten las anchoas. Al final, (6) se pica / se echa / se mezcla un poco de aceite por encima.

● Tipo de plato: _____
● N.º de personas: **6**

Total: _____ / 10 puntos

2. PRODUCCIÓN ESCRITA

(Mínimo, 50 palabras)

Participas en un concurso de recetas originales. Escribe una receta de cocina.

Incluye:
- los ingredientes
- la preparación
- por qué te gusta
- por qué es original

▶ EVALUACIÓN DE TU PRODUCCIÓN ESCRITA

- **Lengua** (___ / 4 puntos)
  - Léxico: comidas, medidas, cantidades y verbos para cocinar
  - Gramática: presente / verbo *gustar* / *se* impersonal

- **Contenido** (___ / 4 puntos)
  - Los ingredientes
  - La preparación
  - Por qué te gusta
  - Por qué es original

- **Formato: receta de cocina** (___ / 2 puntos)
  - ¿Tiene nombre la receta?
  - ¿Hay diferentes partes en la receta?

  Total: _____ / 10 puntos

3. PRODUCCIÓN Y COMPRENSIÓN ORAL (interacción)

(Mínimo, un minuto cada uno)

Con un compañero, prepara un diálogo en un restaurante español. Uno es el camarero y el otro es el cliente.

Incluye:
- saludar
- preguntar e informar sobre algún plato
- pedir / tomar nota de la bebida, el primer plato y el segundo plato
- pedir / tomar nota del postre y la cuenta

▶ EVALUACIÓN DE TU PRODUCCIÓN ORAL Y DE LA COMPRENSIÓN ORAL DE TU COMPAÑERO

- **Lengua** (___ / 4 puntos)
  - Léxico: diversos platos y lenguaje de restaurante
  - Gramática: los pronombres de OD y el verbo *querer*

- **Contenido** (___ / 4 puntos)
  - Saludar
  - Preguntar e informar sobre algún plato
  - Pedir / Tomar nota de la bebida, el primer plato y el segundo plato
  - Pedir / Tomar nota del postre y la cuenta

- **Expresión** (___ / 2 puntos)
  - Hablas con fluidez
  - Hablas con una buena pronunciación y entonación

- **Interacción** (___ / 10 puntos)
  - Comprendes lo que dice tu compañero
  - Respondes de forma coherente a lo que dice tu compañero

  Total: _____ / 20 puntos

  Total: _____ / 50 puntos

Mi progreso

Valora tu progreso después de esta unidad.

Mis habilidades
- Hablar, entender, escuchar y escribir sobre comidas, bebidas y hábitos alimenticios
- Entender y escribir una receta y pedir en un restaurante

Mis conocimientos
- Léxico de comidas, bebidas, hábitos alimenticios y recetas
- La frecuencia y la impersonalidad
- Los pronombres de objeto directo
- Las letras *ch* y *ll*
- Información sobre España y su cocina

Soy más consciente
- De mi dieta
- De la importancia de una dieta sana
- De la comida en otras culturas

 Bien   Adecuado   Mal

7 Diversión

Hacer planes

1 Relaciona un elemento de cada columna para hablar de planes para el fin de semana.

1 ver
2 jugar a
3 salir
4 ir a
5 hacer
6 leer
7 bailar

a con los amigos
b un concierto
c una película
d merengue
e una revista
f deporte
g las cartas

2 (21) Completa la siguiente conversación con estos verbos. Después, escucha y comprueba.

creo ● hacemos ● compro ● gusta ● tiene
organizamos ● puedo ● buscamos

● ¿Por qué no (1) _____ una fiesta el próximo viernes?

■ No, no, el viernes no, que mucha gente (2) _____ partidos o entrenamientos. Mejor el sábado.

● Vale, pues el sábado, ¿a las siete?

▲ Sí, yo (3) _____ que a las siete está bien.

■ Por mí, perfecto. Entonces la (4) _____ en el garaje de mi casa. Tenemos permiso, chicos.

▲ ¡Genial! Yo (5) _____ las bebidas y algo de picar.

● Yo (6) _____ ir al supermercado contigo.

■ Y yo me encargo de la música. ¡Ah!, una idea…, ¿y si (7) _____ un tema?

▲ ¿Cómo un tema?

■ Sí, por ejemplo *La guerra de las galaxias*, personajes famosos, la época *hippy*…

● Me (8) _____ la idea. ¿Podemos hacer los años ochenta?

▲ Sí, sí, ¡qué divertido!

■ Bueno, pues…, ¡listo!

3 Acepta o rechaza estas propuestas.

1 ¿Por qué no hacemos juntos el trabajo mañana?

2 ¿Y si vamos de compras el sábado?

3 Podemos quedar el viernes para ir a la pizzería.

4 ¿Qué te parece si compramos un libro a Teresa de regalo de cumpleaños?

5 ¿Por qué no vemos una película de terror?

6 ¿Qué te parece si hacemos una fiesta este fin de semana?

4 Escribe un mensaje de Facebook a un compañero con propuestas para el fin de semana. Después, responde a tu compañero aceptando o rechazando.

5 ¿Singular o plural? Elige la opción correcta.

1 A Daniel y a mí nos **apetece / apetecen** mucho unas hamburguesas.
2 A mis amigos les **gusta / gustan** la idea de hacer una excursión al volcán.
3 ¿Qué te **parece / parecen** los nuevos amigos de Lola?
4 ¡Me **encanta / encantan** los conciertos de *hip hop*!
5 A mí me **parece / parecen** muy bien comprar los regalos hoy.
6 ¿Os **gusta / gustan** las bicicletas de montaña?
7 A Lorenzo le **interesa / interesan** mucho el cine.
8 No me **apetece / apetecen** ver un partido de voleibol, ¡prefiero jugar!

6 **Mira la agenda de Jordi. Escribe sus planes para el fin de semana.**

VIERNES
- Teatro con Luisa (21:00)

SÁBADO
- Competición tenis (11:00)
- Fiesta en casa de Berto (22:00)

DOMINGO
- Terminar el proyecto de Matemáticas
- Comida en casa de la abuela

1 El viernes por la noche Jordi va a ir _____
_____.

2 El sábado a las once _____
_____.

3 El sábado por la noche _____
_____.

4 El domingo, durante el día, _____
_____.

5 El domingo al mediodía _____
_____.

7 **Pregunta a tu compañero por sus planes este fin de semana y anótalos. Después, escribe frases.**

VIERNES	SÁBADO	DOMINGO
Jugar al balon-cesto (17:00)		

El viernes por la tarde va a jugar al baloncesto.

_____
_____
_____
_____
_____
_____

8 **Escribe cuáles son tus planes. ¿Qué vas a hacer...?**

Mañana _____
_____.

Pasado mañana _____
_____.

La semana que viene _____
_____.

El próximo año _____
_____.

Invitar

9 **Relaciona y forma frases.**

1 Si hace buen tiempo, …	☐
2 Si tengo un examen el lunes, …	☐
3 Si voy a una fiesta de un amigo, …	☐
4 Si tengo dinero, …	☐
5 Si quiero comprarme ropa nueva, …	☐
6 Si tengo problemas con una asignatura, …	☐

a llevo un pequeño regalo.
b podemos ir a la piscina.
c me quedo en casa para estudiar.
d pregunto a mi profesor.
e me compro música y libros.
f llamo a una amiga para ir al centro comercial.

10 **Completa las frases con los pronombres correctos.**

nosotras ● te ● yo ● vosotras ● os ● le ● nos ● me (x2)

● Chicas, a Lola (1) _____ apetece ir de compras el sábado. ¿Queréis venir con (2)_____?

■ (3)_____ tengo este fin de semana un viaje con mis padres. ¡Lo siento, no puedo ir!

▲ A mí (4)_____ encantaría ir, pero tengo que estudiar.

● ¿Y el sábado por la noche, Alicia? A ti (5) _____ gustan las películas de suspense, ¿no? Tengo una muy buena en casa.

▲ Vale, (6)_____ parece muy bien. ¿A qué hora quedamos?

● Podemos quedar a las ocho. ¡Ah!, por cierto, a Lola y a mí (7) _____ apetece mucho hacer una fiesta con (8)_____. ¿Qué (9) _____ parece si la hacemos el sábado que viene?

▲ Por mí, ¡estupendo!

■ Sí, ¡genial!

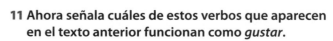

11 **Ahora señala cuáles de estos verbos que aparecen en el texto anterior funcionan como *gustar*.**

apetecer ☐	parecer ☐	encantar ☐
quedar ☐	poder ☐	tener ☐

12 Clasifica las frases en la tabla: escribe el número de frase donde corresponda y después añade una frase nueva en cada fila.

1 Podemos encontrarnos delante del cine a las cuatro.
2 El sábado, para la excursión, nos encontramos en la parada de autobús a las ocho.
3 Me encantaría ir a tu fiesta, pero es que el fin de semana vamos a ir a casa de los abuelos.
4 ¿Y si vemos una peli de terror? Tengo una nueva.
5 Me parece una idea fenomenal. ¿A qué hora quedamos?
6 Lo siento mucho, de verdad, pero tengo examen de Biología el lunes y tengo que estudiar.
7 ¿Te apetece ir conmigo y con Sofía de compras mañana?
8 Vale, estupendo. ¿Dónde quedamos?
9 Todos en mi casa el sábado por la tarde sobre las tres. Después cogemos el autobús.
10 ¿Por qué no compramos el regalo entre todos?

	Número frase	Nueva frase
Invitar		
Rechazar la invitación		
Aceptar la invitación		
Quedar		
Hacer propuestas		

13 Escribe los tres tipos de películas que te gustan más y los tres que te gustan menos.

Películas románticas · Películas de suspense · Películas de terror / miedo · Películas de ciencia ficción · Películas de acción

Películas históricas · Películas de aventuras · Películas sociales, críticas · Películas de humor

Las que me gustan más	
Las que me gustan menos	

14 Lee las reseñas y di a qué película corresponde cada frase. Puede haber varias opciones.

1 El protagonista es un chico joven con problemas. ☐
2 El problema en la relación es el físico del hombre. ☐
3 La película tiene un mensaje positivo para los jóvenes. ☐
4 Trata temas de la familia. ☐
5 El protagonista trabaja de actor. ☐
6 La película es de humor. ☐

«QUINCE AÑOS Y UN DÍA», de Gracia Querejeta (española)

Es la historia de un adolescente conflictivo, con muchos problemas, sobre todo con su madre. Cuando es expulsado del colegio, se va a vivir una temporada a casa de su abuelo, un militar jubilado que vive en la costa de la Luz. La película es una mezcla de suspense, humor y drama que trata temas como la amistad y la familia.

A

«CORAZÓN DE LEÓN», de Marcos Carnevale (argentina)

Es una comedia crítica. Un hombre y una mujer se conocen porque uno de ellos pierde el celular. Se gustan, pero hay un problema: él es mucho más bajo que ella. Este hecho es un inconveniente por los prejuicios de la sociedad, que cree que la mujer siempre quiere tener a su lado a un hombre alto.

B

«MATEO», de María Gamboa (colombiana)

Mateo es un joven de 16 años que cobra dinero a comerciantes de Barrancabermeja (Colombia) para su tío, un jefe criminal. Un día entra en un grupo de teatro para contar las actividades políticas de sus miembros a su tío. Es una película realista, los actores no son profesionales, sino habitantes de la zona. La directora comenta que el tema es la dignidad y que también quiere demostrar cómo el arte puede abrir los ojos a los jóvenes para no entrar en conflictos armados. «*Mateo* es un drama: es el reflejo del proceso colectivo del país en este momento».

C

Dar opiniones

15 **Escribe tu opinión sobre los siguientes temas. Utiliza** *Creo que...,* *Pienso que...* **y** *Me parece que...*

1 Comer rápido: _____
Creo que comer rápido es malo para la salud.

2 Hacer exámenes: _____

3 Utilizar el móvil en clase: _____

4 Beber café: _____

5 Leer cómics: _____

6 Hacer meditación: _____

16 **Señala las cinco actividades que te parecen mejor para combatir el estrés. Después, comenta con tu compañero.**

1 Comer sentado, acompañado y despacio
2 Hacer yoga
3 Escuchar música
4 Salir con amigos
5 Leer
6 Ver películas
7 Dormir bien
8 Hacer muchas pausas en el estudio o trabajo
9 Hacer deporte
10 Reírse mucho

17 **¿Qué haces tú para combatir el estrés? Escribe un pequeño texto.**

18 **Completa estas palabras con** *c* **o** *z.*

1 quin__e
2 __ine
3 me__clar
4 __iencia ficción
5 a__tor
6 utili__ar
7 ha__er
8 cuatro__ientos
9 organi__ación
10 a__tividad
11 con__ierto
12 recha__ar

19 **⟨22⟩ Escucha estas palabras y colócalas, según su sonido, /k/ o /z/, en la columna adecuada.**

/k/	/z/

20 Lee este texto y di si estas frases son verdaderas (V) o falsas (F).

1 La risa es social. ☐
2 La risa tiene un efecto en el cuerpo. ☐
3 Tienes que tomar una medicina para reír más. ☐
4 La risa produce nerviosismo. ☐
5 La risa ayuda a personas enfermas. ☐
6 La risoterapia se utiliza solo con problemas psicológicos. ☐

LA RISA

¿Cuántas veces al día te ríes?
¿Qué te hace reír? ¿Con quién te ríes?

Normalmente, una persona no se ríe cuando está sola. Te ríes cuando estás en compañía de otras personas y hablas de cosas divertidas; cuando cuentas chistes, ves películas cómicas o lees libros divertidos.
La risa puede ayudar también a reducir el estrés. Cuando nos reímos, relajamos el cuerpo porque, en primer lugar, movemos más de cuatrocientos músculos. Además, segregamos endorfinas que se extienden por todo el cuerpo y funcionan como una medicina. La risa reduce los nervios y la ansiedad y, por lo tanto, el estrés. Es una gran terapia contra la depresión.
Hoy en día existe una terapia, llamada risoterapia, que se utiliza para curar enfermedades no solo psicológicas. Hay también muchas organizaciones que visitan hospitales e intentan hacer reír, o al menos sonreír, a los pacientes.

«Quien de todo se ríe,
ese es el que bien vive.»

(refrán castellano)

21 Completa esta tabla.

verbo	sustantivo	adjetivo
divertirse		
	el aburrimiento	
		descansado

22 Escribe parejas de contrarios.

~~aburrido~~ • barato • sedentario • solo • caro
activo • ~~divertido~~ • acompañado

aburrido ≠ divertido _____

_____ _____

23 Lee los siguientes diálogos y señala si B muestra acuerdo total (T), acuerdo parcial (P) o desacuerdo (D).

1 A Estoy harto de tanto trabajar. Yo creo que también es importante divertirse, ¿no?
   B Pues sí, tienes razón, pero creo que todo es cuestión de organizarse. ☐
2 A Cuando lees, entras en un mundo nuevo y olvidas tus preocupaciones…
   B Estoy de acuerdo contigo, todo eso ayuda. ☐
3 A ¿No estás toda la noche con el ordenador? Me parece que no duermes bien.
   B Es verdad, duermo pocas horas y juego mucho con el ordenador. ☐
4 A Tienes que empezar a ser menos serio, a reírte mucho más.
   B Tienes razón. ☐
5 A Eres tan inteligente…
   B Pues yo creo que no. Inteligente no, organizada. ☐

24 ¿Con cuáles de estas afirmaciones estás de acuerdo y con cuáles no? Comenta con tu compañero.

1 Hay cosas que son gratis y muy divertidas.
2 Hay muchos tipos de diversión.
3 La diversión es necesaria para poder trabajar.
4 Es necesario realizar pequeñas actividades, también en el trabajo.
5 Cuando nos divertimos, el tiempo pasa más deprisa.

25 (23) Escucha este *podcast* sobre distintos ritmos del Caribe y completa las frases.

1 La bachata trata temas de _____.
2 El chachachá se baila en _____.
3 El merengue es típico de _____.
4 La salsa es una mezcla de _____ y *jazz*.
5 El mambo comienza en los años _____.

Lengua y comunicación

Marca la respuesta correcta.

1 La semana que ____ vamos a ir a un concierto.
   a) ☐ próxima
   b) ☐ viene
   c) ☐ pasada

2 Me gusta la idea ____ pasear por el Malecón.
   a) ☐ en
   b) ☐ de
   c) ☐ a

3 La diversión ____ necesaria para vivir.
   a) ☐ le
   b) ☐ es
   c) ☐ se

4 A Luis ____ apetece mucho ir al cine.
   a) ☐ le
   b) ☐ se
   c) ☐ les

5 ¿Qué ____ parece a tus padres si nos quedamos a dormir en tu casa?
   a) ☐ le
   b) ☐ se
   c) ☐ les

6 Hay chicos y chicas que llevan una vida muy ____. ¡Es necesario moverse!
   a) ☐ divertida
   b) ☐ sedentaria
   c) ☐ creativa

7 No tenemos que pagar nada porque es ____.
   a) ☐ gratis
   b) ☐ barato
   c) ☐ caro

8 Chus, ¿____ venir a mi fiesta de cumpleaños?
   a) ☐ quiero
   b) ☐ quieres
   c) ☐ quieren

9 Y ____ la noche podemos ir a bailar.
   a) ☐ de
   b) ☐ Ø
   c) ☐ por

10 Yo prefiero ____ ir a la hamburguesería en autobús.
   a) ☐ de
   b) ☐ Ø
   c) ☐ por

11 No tengo ganas ____ comer más *pizza*.
   a) ☐ de
   b) ☐ Ø
   c) ☐ por

12 En este museo hay una ____ de pintura moderna.
   a) ☐ exposición
   b) ☐ excursión
   c) ☐ invitación

13 Si te invitan a una fiesta, puedes aceptar o ____ la invitación.
   a) ☐ preferir
   b) ☐ apetecer
   c) ☐ rechazar

14 Podemos ____ en mi casa a las cuatro.
   a) ☐ invitar
   b) ☐ quedar
   c) ☐ apetecer

15 ¿____ martes hay películas en versión original?
   a) ☐ Al
   b) ☐ Los
   c) ☐ En

16 Estoy ____ acuerdo contigo: la película es muy buena.
   a) ☐ en
   b) ☐ Ø
   c) ☐ de

17 En algunos países se dice *celular* y en España se dice ____.
   a) ☐ cine
   b) ☐ móvil
   c) ☐ televisión

18 Las películas de amor son películas ____.
   a) ☐ románticas
   b) ☐ de suspense
   c) ☐ de ciencia ficción

19 El argumento es ____ de la película.
   a) ☐ la historia
   b) ☐ el tema
   c) ☐ el país

20 La risa y la música son dos recursos para ____ el estrés.
   a) ☐ tener
   b) ☐ aumentar
   c) ☐ reducir

Total: _____ / 10 puntos

Destrezas

 1. COMPRENSIÓN ESCRITA

1 Mira esta página web de la República Dominicana: ¿a quién va dirigida? (___ / 2 puntos)

_____

2 Lee la información y marca (X) si las siguientes frases son verdaderas (V) o falsas (F). Justifica tu respuesta con información del texto. (___ / 8 puntos)

	V	F
1 Hay mucha diversión para grandes y pequeños. (Párrafo 1)	☐	☐
Justificación: _____		
2 Los hoteles y *resorts* tienen zonas para actividades de ocio. (Párrafo 2)	☐	☐
Justificación: _____		
3 El acuario, el zoológico y el jardín botánico están en Puerto Plata. (Párrafo 3)	☐	☐
Justificación: _____		
4 Puedes utilizar el *segway* si tienes un bebé. (Párrafo 4)	☐	☐
Justificación: _____		

República Dominicana
Lo tiene todo

INICIO   DÓNDE IR   QUÉ HACER   ALOJAMIENTO   GALERÍA

ACTIVIDADES EN FAMILIA

[1] Disfrutar al máximo de unas vacaciones en familia es una gran oportunidad (…) que brinda la República Dominicana como destino turístico. La oferta es amplia y variada, y abarca múltiples atracciones para adultos y para niños, tanto en la capital como en las zonas turísticas, y también en otras ciudades del país.

[2] Dentro de las opciones hay una gran cantidad de hoteles y *resorts* orientados a proporcionar diversión a toda la familia, ya que cuentan con instalaciones para la práctica de numerosas actividades recreativas y deportivas, además de sus programas de entretenimiento: clases de baile con música en vivo, la práctica de deportes como el voleibol de playa y piscina, tenis y *ping-pong*, bicicleta, aeróbicos en la piscina, yoga, *stretching*, tai-chi, *snorkeling, boogie boards,* kayak, clases de *scuba diving* y muchos más (…). Y para los más pequeños están los clubes para niños o con *kids clubs* con actividades educativas y de diversión.

[3] (…) En la ciudad de Santo Domingo hay varias opciones para la familia, como el Museo Trampolín, la biblioteca infantil y juvenil República Dominicana, el acuario nacional, el zoológico nacional, el jardín botánico, los parques Mirador Sur y Mirador Norte y el parque infantil Las Canquiñas.

[4] En Puerto Plata están Ocean World Adventure Park, Columbus Water Park y Fun City Action Park, este último especializado en *go karts*. (…) En Punta Cana también se encuentran varias opciones para compartir en familia: Manatí Park, Animal Adventure y Dolphin Island Park, Zipline Adventures, Marinarium y Segway Tour. El *segway* es un singular medio de transporte, de muy fácil manejo, que funciona con baterías y es una opción excelente para familias con niños de 7 años en adelante.

Extraído de http://www.godominicanrepublic.com

Total: _____ / 10 puntos

2. PRODUCCIÓN ESCRITA

(Mínimo, 50 palabras)

Has visto una película interesante. Escribe una breve <u>reseña</u> para la revista de tu instituto.

Incluye:

- nombre, tipo de película y país de origen
- nombre del director y de los actores
- argumento
- si te gusta o no te gusta la película

▶ EVALUACIÓN DE TU PRODUCCIÓN ESCRITA

- **Lengua** (___ / 4 puntos)
- Léxico: el cine
- Gramática: presente / verbo *gustar* / *si* + presente, presente / verbos valorativos

- **Contenido** (___ / 4 puntos)
- Nombre, tipo de película y país de origen
- Nombre del director y de los actores
- Argumento
- Si te gusta o no te gusta la película

- **Formato: reseña** (___ / 2 puntos)
- ¿Hay título?
- ¿Las partes están separadas en párrafos?

Total: _____ / 10 puntos

3. PRODUCCIÓN Y COMPRENSIÓN ORAL (interacción)

(Mínimo, un minuto cada uno)

Prepara un diálogo con un compañero. Vais a recibir la visita de un amigo común que ya no vive en la ciudad. Queréis organizar un plan para pasar el fin de semana juntos.

Incluye:

- hacer propuestas sobre varias actividades
- aceptar alguna propuesta
- rechazar alguna propuesta
- sugerir una propuesta alternativa y concluir el plan

▶ EVALUACIÓN DE TU PRODUCCIÓN ORAL Y DE LA COMPRENSIÓN ORAL DE TU COMPAÑERO

- **Lengua** (___ / 4 puntos)
- Léxico: actividades
- Gramática: *preferir* y *apetecer* / marcadores de tiempo

- **Contenido** (___ / 4 puntos)
- Hacer propuestas sobre actividades
- Aceptar alguna propuesta
- Rechazar alguna propuesta
- Sugerir una propuesta alternativa y concluir el plan

- **Expresión** (___ / 2 puntos)
- Hablas con fluidez
- Hablas con una buena pronunciación y entonación

- **Interacción** (___ / 10 puntos)
- Comprendes lo que dice tu compañero
- Respondes de forma coherente a lo que dice tu compañero

Total: _____ / 20 puntos

Total: _____ / 50 puntos

Mi progreso

Valora tu progreso después de esta unidad.

Mis habilidades	
- Hablar y entender sobre planes, invitaciones y opiniones	
- Entender y escribir un correo electrónico	

Mis conocimientos	
- Invitaciones, planes, opiniones	
- Verbo *preferir*, expresar condición	
- Expresar acuerdo y desacuerdo	
- Las letras *c* y *z*	
- Información sobre Cuba y la República Dominicana y la música	

Soy más consciente	
- De mis actividades de ocio	
- De la importancia de navegar por la red con eficacia	
- De la diversión en las distintas culturas	

 Bien   Adecuado   Mal

El tiempo

1 **¿Qué tiempo hace? Indica la opción correcta. Puede haber más de una opción.**

A
1 Hace viento ☐
2 Está nublado ☐
3 Hace sol ☐

B
1 Hace buen tiempo ☐
2 Hace frío ☐
3 Hay niebla ☐

C
1 Hace calor ☐
2 Hace sol ☐
3 Llueve ☐

D
1 Nieva ☐
2 Está nublado ☐
3 Hace viento ☐

E
1 Llueve ☐
2 Hace mal tiempo ☐
3 Hace sol ☐

F
1 Hace viento ☐
2 Hay tormenta ☐
3 Está nublado ☐

G
1 Hace buen tiempo ☐
2 Hace mal tiempo ☐
3 Hace calor ☐

H
1 Hace sol ☐
2 Hace calor ☐
3 Nieva ☐

2 **¿Qué tiempo hace en estas ciudades en las distintas estaciones? Completa las frases. Busca en internet si necesitas ayuda.**

1 En enero _____ en Buenos Aires.
2 En Varsovia _____ en los meses de invierno.
3 En diciembre _____ en Santiago de Chile.
4 En los meses de junio y julio _____ en Tokio.

5 En Caracas _____ en mayo.
6 En Berlín _____ durante los meses de invierno.
7 Durante los meses de verano _____ en Oslo.
8 En Montevideo _____ en agosto.

3 **(24) Completa la previsión del tiempo de la provincia de Córdoba, en Argentina, con los siguientes conectores. Después, escucha y comprueba.**

además ● y (x2) ● pero ● aunque

La previsión para hoy

Esta mañana en el norte de la provincia hay tormentas (1) _____ está nublado, (2) _____ por la tarde va a hacer sol (3) _____ va a aumentar la temperatura. En el centro de la provincia hoy hace sol y, (4) _____, va a hacer mucho calor. (5) _____ ahora hay niebla en el sur de la provincia, al mediodía va a hacer sol. Como vemos, en Córdoba hoy tenemos un tiempo variado.

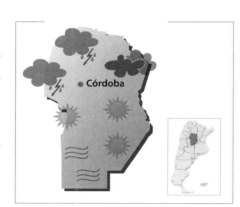

Córdoba

4 Forma frases con los siguientes conectores.

aunque ● pero ● además ● y ● también

1 En el hemisferio sur es invierno en julio _y_ verano en enero.
2 Me encanta Colombia. _____, me gusta mucho el clima que tiene.
3 La República Dominicana tiene una gran biodiversidad y _____ un clima perfecto durante todo el año.
4 En la Patagonia, en julio y en agosto hace mucho frío y nieva, _____ yo nunca esquío en esos meses.
5 En el norte de España, _____ en invierno hace frío, hay gente que se baña en la playa.

5 Mira el mapa de la previsión del tiempo en la provincia de Córdoba, en España, y escribe el texto. Utiliza el texto del ejercicio 3 como ayuda.

_____
_____
_____
_____
_____
_____
_____
_____
_____
_____

Córdoba

El clima en nuestras vidas

6 ¿Qué haces o cómo te sientes según el clima? Completa las frases.

1 Cuando hace sol, _____ .
2 Cuando llueve, _____ .
3 Cuando hace frío, _____ .
4 Cuando hace viento, _____ .
5 Cuando hace mucho calor, _____ .
6 Cuando hay tormenta, _____ .
7 Cuando nieva, _____ .
8 Cuando está nublado, _____ .

7 Escribe el nombre de ciudades o lugares con los siguientes climas. Puedes buscar información en internet.

1 Clima tropical

2 Clima seco

3 Clima cálido

4 Clima frío

5 Clima húmedo

8 **Mira los datos que nos proporciona un blog sobre el clima y la personalidad. ¿Estás de acuerdo con todo? Comenta con tu compañero o escribe una breve opinión.**

- *Sí, estoy de acuerdo porque a mí me gusta la primavera y el color naranja y el amarillo. Soy extrovertida…*
- *Yo no estoy de acuerdo, a mí también me gusta la primavera, pero ¡soy introvertida!*

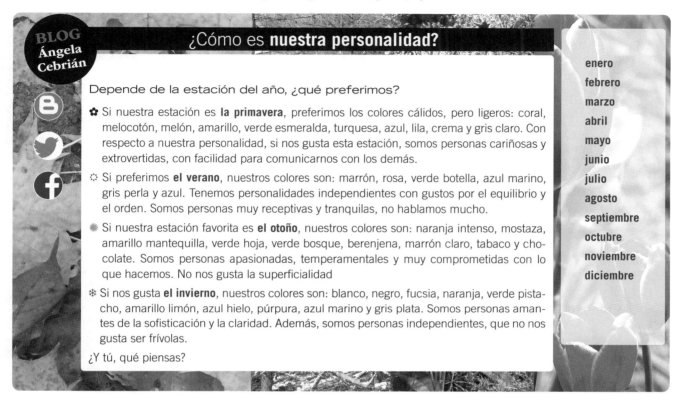

BLOG
Ángela Cebrián

¿Cómo es **nuestra personalidad?**

Depende de la estación del año, ¿qué preferimos?

❀ Si nuestra estación es **la primavera**, preferimos los colores cálidos, pero ligeros: coral, melocotón, melón, amarillo, verde esmeralda, turquesa, azul, lila, crema y gris claro. Con respecto a nuestra personalidad, si nos gusta esta estación, somos personas cariñosas y extrovertidas, con facilidad para comunicarnos con los demás.

☼ Si preferimos **el verano**, nuestros colores son: marrón, rosa, verde botella, azul marino, gris perla y azul. Tenemos personalidades independientes con gustos por el equilibrio y el orden. Somos personas muy receptivas y tranquilas, no hablamos mucho.

❂ Si nuestra estación favorita es **el otoño**, nuestros colores son: naranja intenso, mostaza, amarillo mantequilla, verde hoja, verde bosque, berenjena, marrón claro, tabaco y chocolate. Somos personas apasionadas, temperamentales y muy comprometidas con lo que hacemos. No nos gusta la superficialidad

❄ Si nos gusta **el invierno**, nuestros colores son: blanco, negro, fucsia, naranja, verde pistacho, amarillo limón, azul hielo, púrpura, azul marino y gris plata. Somos personas amantes de la sofisticación y la claridad. Además, somos personas independientes, que no nos gusta ser frívolas.

¿Y tú, qué piensas?

enero
febrero
marzo
abril
mayo
junio
julio
agosto
septiembre
octubre
noviembre
diciembre

9 **Para tomar nota del nuevo vocabulario del texto anterior, completa el mapa mental con los nombres de colores y adjetivos que definen nuestra personalidad para cada estación.**

Colores   Personalidad   Colores   Personalidad

LA PRIMAVERA   **EL OTOÑO**

LAS ESTACIONES Y NUESTRA PERSONALIDAD

EL VERANO   **EL INVIERNO**

Colores   Personalidad   Colores   Personalidad

10 **Vuelve a leer el blog del ejercicio 8 y escribe un comentario a la especialista con tu opinión sobre el tema.**

El clima perfecto

11 Escribe frases sobre dos ciudades utilizando los siguientes comparativos.
Hay varias posibilidades. Busca información en internet si es necesario.

más … que ● menos … que ● tan … como ● tanto … como ● el mismo

Tierra del Fuego (Argentina)

Mallorca (España)

Buenos Aires (Argentina)

Santa Fe (Argentina)

Ibiza (España)

Madrid (España)

1 (poblada) *Tierra del Fuego está menos poblada que Santa Fe.*

2 (clima) _____

3 (tráfico) _____

Río de Janeiro (Brasil)

Brasilia (Brasil)

4 (turística) _____

Formentera (España)

Punta del Este (Uruguay)

5 (tranquila) _____

12 ¿Tú o vos? Escribe el pronombre que corresponde según el verbo.

1 ● ¿_____ eres español?
　■ Sí, soy español, de Madrid.

2 ● ¿_____ podés ayudar a Cecilia con los deberes?
　■ Claro, ¡ningún problema!

3 ● _____ vives cerca del hospital, ¿verdad?
　■ Sí, sí, muy cerca.

4 ● ¿_____ hablás alemán?
　■ No, yo hablo italiano. ¡No hablo nada de alemán!

5 ● ¿_____ sos de Córdoba?
　■ No, soy de Mendoza.

6 ● ¿_____ te llamas José Antonio, como tu padre?
　■ No, solo José.

13 (25) Escucha esta breve conversación de dos chicos. ¿Son argentinos o españoles? ¿Cómo lo sabes? Trabaja con tu compañero y toma nota para justificar tu respuesta.

14 Mira las fotos. Todas estas cosas se dicen de forma diferente en España y Argentina. Señala qué dice un argentino (A) y qué un español (E). ¿Hay también diferencias en tu lengua según los distintos países o regiones donde se habla?

Ⓐ

| Manejar el auto | ☐ |
| Conducir el coche | ☐ |

Ⓑ

| Fresas con nata | ☐ |
| Frutillas con crema | ☐ |

Ⓒ

| Una falda estrecha | ☐ |
| Una pollera ajustada | ☐ |

Ⓓ

| Coger el autobús | ☐ |
| Tomar el colectivo | ☐ |

15 Lee el poema *Cultivo una rosa blanca,* de José Martí, y subraya las palabras que relacionas con esta unidad.

CULTIVO UNA ROSA BLANCA

Cultivo una rosa blanca
en junio como en enero
para el amigo sincero
que me da su mano franca.

Y para el cruel que me arranca
el corazón con que vivo,
cardo ni ortiga cultivo;
cultivo la rosa blanca.

16 ¿Qué significado tiene el título del poema anterior? ¿Por qué «una rosa blanca»?

17 Completa el crucigrama con palabras de la unidad.

HORIZONTALES
1 Clima característico de Argentina.
2 Color que caracteriza la naturaleza, la selva, los bosques…
3 Hay cuatro cada año.
4 Sinónimo de *región.*

VERTICALES
5 Estación en la que hace frío.
6 En verano hace sol y hace
_____.
7 *Tú* en Argentina.

18 (26) Lee y escucha la información sobre Argentina y escribe los números.

La República Argentina es un país independiente desde (1) _____. Tiene unos (2) _____ millones de habitantes y está dividida en (3) _____ provincias y una ciudad autónoma: Buenos Aires. Tiene una longitud de casi (4) _____ kilómetros entre el extremo norte y el extremo sur. La superficie continental es de (5) _____ km², es el segundo país más grande en extensión de América del Sur después de Brasil. La montaña más alta del territorio argentino es el pico del Aconcagua, a (6) _____ metros de altura.

Lengua y comunicación

Marca la respuesta correcta.

1 Hoy ____ nublado en Barcelona.
a) ☐ está
b) ☐ hace
c) ☐ hay

2 ¿Qué tiempo ____ en Londres en enero?
a) ☐ es
b) ☐ hace
c) ☐ está

3 El ____ es el color de la esperanza en la cultura hispánica.
a) ☐ verde
b) ☐ gris
c) ☐ amarilla

4 ____ hace mucho frío, hoy no va a nevar en esta región.
a) ☐ Pero
b) ☐ Además
c) ☐ Aunque

5 En el sur de Argentina hace mal tiempo en invierno. ____, hace mucho viento.
a) ☐ Además
b) ☐ Pero
c) ☐ Aunque

6 Hoy ____ a 35º, hace mucho calor.
a) ☐ estamos
b) ☐ somos
c) ☐ hace

7 Me gusta mucho el color ____ oscuro.
a) ☐ negro
b) ☐ azul
c) ☐ blanco

8 Esta ciudad de la costa es ____ turística que la capital del país.
a) ☐ más
b) ☐ tan
c) ☐ tanta

9 En Pinamar no hay ____ restaurantes como en Mar del Plata.
a) ☐ más
b) ☐ menos
c) ☐ tantos

10 Las provincias de Río Negro y Chubut tienen ____ clima.
a) ☐ la misma
b) ☐ el mismo
c) ☐ lo mismo

11 ¿Vos ____ viajar a Mendoza el próximo verano?
a) ☐ podés
b) ☐ puede
c) ☐ puedes

12 La ciudad de Rosario está más cerca de Buenos Aires ____ la ciudad de Córdoba.
a) ☐ que
b) ☐ de
c) ☐ a

13 Hoy hace ____ tiempo en Valencia.
a) ☐ buen
b) ☐ bueno
c) ☐ malo

14 Hay mucha ____ en la calle. ¡No puedo ver nada!
a) ☐ sol
b) ☐ niebla
c) ☐ nublado

15 Mi estación favorita es el ____ porque hace mucho calor.
a) ☐ otoño
b) ☐ invierno
c) ☐ verano

16 Los ingleses viven en zonas de clima más ____ en Argentina.
a) ☐ fría
b) ☐ frío
c) ☐ fríos

17 En el sur de Argentina, en la Patagonia, nieva ____ todo el año.
a) ☐ mucho
b) ☐ mucha
c) ☐ muchos

18 No ____, no necesitas paraguas.
a) ☐ nieva
b) ☐ llueve
c) ☐ hace sol

19 La gente en países de climas tropicales es más ____.
a) ☐ pesimista
b) ☐ alegres
c) ☐ alegre

20 En el sur de España hace ____ frío que en el norte.
a) ☐ tanto
b) ☐ menos
c) ☐ tan

Total: _____ / 10 puntos

Destrezas

 ### 1. COMPRENSIÓN ESCRITA

1 **Lee la infografía sobre el clima en Argentina. Solo una frase es correcta. Marca la frase con una X.** (___ / 2 puntos)

1 Argentina tiene cinco tipos de clima. ☐
2 El clima de Argentina es templado en todo el país. ☐
3 Hay una gran diversidad de climas en Argentina. ☐
4 La Patagonia se caracteriza por su clima cálido. ☐

2 **Lee *Clima cálido* y *Clima templado*. ¿Con qué climas relacionas estos dos mapas?** (___ / 2 puntos)

1 Clima _____   2 Clima _____

3 **Lee *Clima árido* y *Clima frío* y elige una palabra para cada espacio. Solo se puede utilizar cada palabra una vez. (Hay 2 palabras más de las necesarias).** (___ / 6 puntos)

verano ● aunque ● árido ● y ● país ● cuatro ● tanto ● invierno

❶   ❷

CLIMA EN ARGENTINA

La región continental argentina presenta una amplia variedad de climas, que van desde el tropical hasta el frío en el sur, con diversos climas templados entre uno y otro extremo.

CLIMA ÁRIDO. Este tipo de clima se extiende del noroeste al sureste del país, y presenta (1) _____ variedades según la altura y la latitud:

- **Árido de alta montaña**. La amplitud térmica es muy grande, (2) _____ en la dimensión diaria como en la anual, y se producen heladas todo el año.
- **Árido de sierras y campos**. La temperatura media anual es de alrededor de 18 °C. La amplitud térmica es mayor entre el día y la noche que entre el verano y el (3) _____.
- (4) _____ **de estepa** (norte de la Patagonia). Temperatura media menor de 15 °C. Heladas frecuentes y precipitaciones muy escasas.
- **Árido frío** (sur de la Patagonia). Temperatura media cercana a los 10 °C. Precipitaciones inferiores a los 300 mm al año.

CLIMA CÁLIDO. Este tipo de clima se presenta en el noreste del territorio argentino. Los vientos dominantes provienen del norte, noreste y este.

CLIMA TEMPLADO. En el centro del país. Por la cantidad y la distribución de las precipitaciones, se distinguen dos tipos: al este, el templado húmedo, y al oeste, una ancha faja de transición hacia el clima árido*. La temperatura media es de 15 °C.

* muy seco

CLIMA FRÍO. En la región sudoeste del (5) _____. Se caracteriza por presentar una temperatura media de alrededor de los 7 °C, (6) _____ varía con la altura.

Extraído de http://www.argentour.com

Total: _____ / 10 puntos

2. PRODUCCIÓN ESCRITA

(Mínimo, 50 palabras)

Escribe un <u>artículo informativo</u> sobre el clima en tu país para la revista de tu centro educativo.

Incluye:

- una introducción sobre el clima de tu país (un párrafo)
- tipos de climas (un párrafo)
- regiones (un párrafo)

▶ EVALUACIÓN DE TU PRODUCCIÓN ESCRITA

- **Lengua** (___ / 4 puntos)
- Léxico: el clima
- Gramática: conectores / comparativos

- **Contenido** (___ / 4 puntos)
- Introducción
- Tipos de clima
- Regiones
- Conclusión

- **Formato: artículo informativo** (___ / 2 puntos)
- ¿Hay título?
- ¿Tiene diferentes párrafos?

Total: _____ / 10 puntos

3. PRODUCCIÓN ORAL (expresión)

(Mínimo, un minuto)

Con un mapa de tu país, explica el tiempo para el día de hoy.

Incluye:

- diversos tipos de fenómenos atmosféricos
- lugares donde ocurren estos fenómenos

▶ EVALUACIÓN DE TU PRODUCCIÓN ORAL

- **Lengua** (___ / 4 puntos)
- Léxico: el tiempo y los puntos cardinales
- Gramática: presente de indicativo de verbos impersonales

- **Contenido** (___ / 4 puntos)
- Diversos tipos de fenómenos atmosféricos
- Lugares donde ocurren esos fenómenos

- **Expresión** (___ / 2 puntos)
- Hablas con fluidez
- Tienes una buena pronunciación y entonación

Total: _____ / 10 puntos

4. COMPRENSIÓN ORAL

27 Escucha a Chema y Mariña hablando de las actividades que van a realizar mañana.

1 ¿Qué quieren hacer? (___ / 2 puntos)

_____ .

_____ .

2 Ahora, completa. (___ / 8 puntos)

- Si hace buen tiempo, _____

_____ .

- Si llueve, _____

- Si está nublado, _____

_____ .

- Si hace frío, _____

_____ .

Total: _____ / 10 puntos

Total: _____ / 50 puntos

Mi progreso

Valora tu progreso después de esta unidad.

Mis habilidades	
- Hablar, entender y escribir sobre el clima y la influencia del clima en nuestras vidas.	
- Entender y escribir un artículo informativo.	

Mis conocimientos	
- Léxico del tiempo, los colores, el clima	
- Comparativos	
- El voseo	
- La pronunciación de las letras *y / ll*	
- Información sobre Argentina y su clima	

Soy más consciente	
- Del tiempo, el clima y su influencia en nuestras vidas	
- Del respeto a distintos puntos de vista	
- Del efecto del clima en la cultura	

 Bien   Adecuado   Mal

9 Viajes

Saber viajar

1 ¿En qué tipo de vacaciones se hacen las siguientes cosas? Hay varias posibilidades.

visitar museos ● descansar ● hacer deportes de riesgo
bucear ● tomar el sol ● caminar por la selva ● bailar
ir a una sauna ● visitar templos religiosos ● leer un libro
correr ● pasear ● dormir la siesta ● comer en un restaurante

VACACIONES...

culturales

de playa

de aventura

de salud

deportivas

2 ¿Qué quieres hacer próximamente? Completa las frases y después pregunta a tu compañero qué quiere hacer.

- Este año _____

_____.

- Este mes _____

_____.

- Este fin de semana _____

_____.

- Esta semana _____

_____.

- Esta noche _____

_____.

● *¿Qué quieres hacer este año?*
■ *Quiero ir de vacaciones a España.*

3 ¿En qué lugares te puedes bañar y en cuáles no?

lago ● volcán ● desierto ● río ● isla ● playa
catarata ● montaña ● bosque ● valle

TE PUEDES BAÑAR	NO TE PUEDES BAÑAR
En un lago	

4 Completa la tabla.

	saber	conocer
yo		conozco
tú	sabes	
él, ella, usted		conoce
nosotros/-as	sabemos	
vosotros/-as		conocéis
ellos/-as, ustedes	saben	

5 ¿Qué saben hacer estas personas?

1 un socorrista
sabe nadar

2 un taxista

3 un músico

4 una cantante

5 una traductora

6 una profesora

7 un poeta

8 una cocinera

6 (28) **Completa con los verbos *saber* o *conocer*. Después, escucha y comprueba.**

A • ¿Y tú, qué ciudades españolas (1) _____?
  ▪ Yo solo (2) _____ Barcelona, ¿y ustedes?
  • Nosotros (3) _____ Madrid, Barcelona, Bilbao…

B • Mario, ¿(4) _____ hablar ruso? Es que tenemos un amigo de Moscú de visita y no (5) _____ hablar inglés ni español.
  ▪ Bueno, (6) _____ decir algunas palabras porque (7) _____ a un chico ruso del instituto.

C • Señor Martínez, ¿(8) _____ cuándo llegan sus hijos de vacaciones?
  ▪ Pues no estoy seguro…, (9) _____ que llegan hoy, pero no estoy seguro de la hora…

D • Vamos a jugar al tenis con Marina.
  ▪ ¿Marina? No (10) _____ quién es.
  • ¿No la (11) _____? Es mi prima.
  ▪ Pues no, no la (12) _____.

7 Construye frases como la del ejemplo.

1 hablar ruso / hablar árabe *No sé hablar ruso ni árabe.*
2 patinar / esquiar _____
3 tocar la guitarra / tocar el piano _____
4 ir en moto / ir en bicicleta _____

5 bailar / cantar _____
6 cocinar / conducir _____
7 nadar / jugar al fútbol _____
8 ir en monopatín / hacer *windsurf* _____

8 Lee el siguiente foro sobre costumbres mexicanas, ¿hay alguna costumbre parecida en tu país? Subráyala.

COSTUMBRES MEXICANAS
Hola a todos:
Me interesan mucho las costumbres mexicanas. Y quiero crear un espacio para comentar todas las tradiciones de México. ¿Alguien de México puede aportar información? Por ejemplo, ¿alguien puede explicar qué es el Día de Muertos?

danuki99
13 mar 2015 (17:35)

💬 13 comentarios

Re. 1# ¡Hola! Aquí tienes un poco de información sobre el Día de Muertos:
La muerte es fundamental en la vida de los mexicanos; es una fiesta que tiene su origen en las culturas prehispánicas y que se celebra el 1 y 2 de noviembre. Las familias construyen altares decorados con velas, flores, sal y papel picado y con ofrendas como alimentos, bebidas o los objetos favoritos de los muertos.
Otra costumbre son las serenatas. Normalmente, se regala una serenata (una o varias canciones, eso depende de si tienes más o menos dinero) con mariachi, pero también puede ser con un trío o cualquier otra agrupación. La idea es mostrarle a una persona especial el amor que le tienes. Actualmente no son tan habituales como antes.

anabella
13 marzo 2015 (20:15)

💬 120 comentarios

Re. 2# ¿Sabes qué son las fiestas decembrinas? Durante el mes de diciembre en México hay muchas celebraciones. Entre el 16 y el 24 tenemos las tradicionales posadas, que representan el viaje de la Virgen María y San José hasta Belén. Durante esas noches los vecinos, familiares o amigos se reúnen para cenar y beber el típico ponche. El día 24 es la cena familiar de Nochebuena y se dan los regalos. El 25 se celebra la Navidad, también con mucha comida. El 31 de diciembre se celebra la noche de Año Nuevo con una cena y se tiran fuegos artificiales. Mucha gente tiene la costumbre de usar un calzón amarillo para atraer dinero, o de color rojo para encontrar el amor. Y la gente que quiere viajar mucho ese año, sale a la calle con una maleta y da una vuelta a la manzana o al edificio.

supercuate
14 marzo 2015 (10:22)

💬 55 comentarios

9 Ahora, imagina que tienes que explicarle a alguien que no entiende el español en qué consisten las siguientes tradiciones mexicanas. Descríbelas en tu idioma.

El Día de Muertos

Las serenatas

Las posadas

El Año Nuevo

10 Relaciona las palabras de las dos columnas. Hay más de una posibilidad.

1 señalar a alguien	a de alguien
2 quitarse	b con la mano
3 tocar la cabeza	c con el dedo
4 taparse la boca	d con la mano derecha
5 saludar o comer	e los zapatos

11 Escribe cómo son estos hábitos en tu país.

de buena educación ● de mala educación ● habitual

En mi país:

1 Es _____ señalar a alguien con el dedo.

2 Es _____ cubrirse la boca cuando sonríes.

3 Es _____ tocar la cabeza de alguien.

4 Es _____ no quitarse los zapatos en casa de alguien.

5 Es _____ saludar con la mano izquierda.

12 ¿Qué otros hábitos son de mala educación en tu país?

Descubrir

13 Mira el plano de México D. F. y completa las frases. Tú estás en la esquina de la calle Corregidora con la calle Academia.

detrás ● a la derecha (x2) ● entre ● todo recto (x2)
a la izquierda (x2) ● al lado

1 ● Disculpe, ¿el Templo Mayor está cerca?
   ■ Sí, por la calle Academia, la tercera calle (1) _____ y después (2) _____.

2 ● Perdone, ¿sabe dónde está la Academia de San Carlos?
   ■ Sí, (3) _____ por la calle Academia, y está después de la primera calle (4) _____.

3 ● Perdone, ¿el Palacio Nacional?
   ■ Está aquí (5) _____.
   ● ¿Y el Zócalo?
   ■ ¡Está (6) _____ del Palacio Nacional!

4 ● Perdona, ¿el Museo de Luis Cuevas?
   ■ Sí, está (7) _____ la calle de la Moneda y República de Guatemala.

5 ● Perdone, ¿hay una iglesia por aquí cerca?
   ■ Sí, Nuestra Señora de Balvanera. Por la calle Corregidora, la primera calle (8) _____ y después, la segunda calle (9) _____.

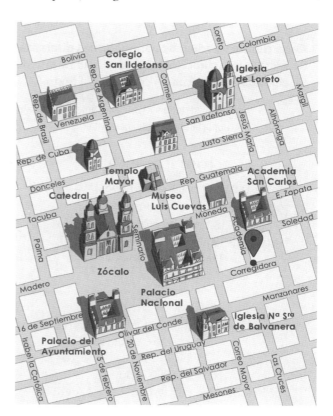

14 Completa con números ordinales.

1 Vivo en el (7.º) _____ piso.
2 El museo está en la (4.ª) _____ calle a la derecha.
3 Es la (2.ª) _____ vez que voy a México.
4 Esta es la (5.ª) _____ iglesia que visitamos en el D. F.
5 Yo vivo en el (4.º) _____ piso y mis tíos en el (6.º) _____.
6 Esta es la (9.ª) _____ unidad del libro.

15 Marca la opción correcta.

1 ¿Vives en el **primer / primero** piso?
2 Tengo tres hermanos y yo soy el **tercer / tercero**.
3 Este es el **tercer / tercero** viaje que hago este año.
4 Soy el **primer / primero** de la clase.
5 Pablo es el **primer / primero** novio de mi hermana.
6 No es el **primer / primero** museo que visito.

16 ¿Qué significan las siguientes abreviaturas? Escríbelas.

1 C/ _____
2 Avda. _____
3 Pza. _____
4 n.º _____
5 1.er _____
6 2.ª _____
7 dcha. _____
8 izda. _____
9 tel. _____
10 C. P. _____

17 Cada ciudad y cada país tienen formas diferentes de escribir una dirección. Observa esta tarjeta de un ciudadano mexicano y completa el texto.

Colonia ● teléfono ● Avenida ● número
departamento ● código postal

José Antonio
Lamberta del Bosque

Av. Insurgentes 1646 depto. 17
Col.* del Valle C. P. 03980 México, D. F.
Tel. +52 (55) 5888.9080

*Colonia

José Antonio Lamberta del Bosque vive en la (1) _____ Insurgentes, en el (2) _____ 1646, (3) _____ 17 en la (4) _____ del Valle. El (5) _____ es el 03980 de México D. F. El número 55 indica que es un (6) _____ del D. F.

18 Completa las siguientes expresiones con sus respectivos verbos.

tomar ● hacer ● conocer ● ponerse ● cambiar
transgredir ● liberarse ● romper

1 _____ la estructura política y social
2 _____ de ataduras
3 _____ turismo
4 _____ distancia
5 _____ de primera mano
6 _____ a prueba
7 _____ la perspectiva
8 _____ con la rutina

19 ¿Por qué estudias español? Completa las frases.

ESTUDIAR ESPAÑOL ES _____
_____.

ESTUDIO ESPAÑOL PARA _____
_____.

ESTUDIO ESPAÑOL POR _____
_____.

ESTUDIO ESPAÑOL PORQUE _____
_____.

Experiencias

20 Completa la tabla del pretérito perfecto.

	haber	+ participio
yo	_____	
tú	has	
él, ella, usted	_____	+ habl_____ (hablar)
nosotros/-as	hemos	+ beb_____ (beber)
vosotros/-as	_____	ven_____ (venir)
ellos/-as, ustedes	han	

21 Escribe los participios de los siguientes verbos (no todos son irregulares).

1 ver _____   9 saber _____
2 dormir _____   10 abrir _____
3 descubrir _____   11 morir _____
4 hacer _____   12 conocer _____
5 jugar _____   13 romper _____
6 trabajar _____   14 volver _____
7 decir _____   15 ir _____
8 poner _____   16 nadar _____

22 Completa las frases con estos marcadores temporales en función de cuándo lo has hecho.

este mes ● esta semana ● este fin de semana
este año ● este lunes ● esta mañana ● hoy

1 He escrito un trabajo _____.
2 He visto la televisión _____.
3 He hecho los deberes _____.
4 He ido de vacaciones _____.
5 He comprado algo _____.
6 He dormido poco _____.
7 He ido al cine o al teatro _____.
8 He salido con mis amigos _____.
9 He estudiado mucho _____.
10 He desayunado _____.

23 Completa las frases con los verbos en pretérito perfecto.

● Hola, Laura, ¿qué tal el viaje por México?
■ Muy bien. (1) _____ (ser) un viaje fantástico. México es maravilloso y (2) _____ (conocer) al chico ideal.
● ¡Qué bien! ¿Y cómo se llama?
■ Carlos Daniel. Es un chico muy guapo y muy interesante. (3) _____ (viajar) por todo el mundo, (4) _____ (estar) en España muchas veces…
● ¡Qué suerte! ¿Y estudia? ¿Trabaja?
■ (5) _____ (tener) muchos trabajos, (6) _____ (hacer) varias películas…
● ¿Como actor?
■ ¡No! Como director…
● ¡No!
■ Y (7) _____ (escribir) cuatro libros… y (8) _____ (ganar) dos veces un premio de literatura.
● Pero ¿cuántos años tiene?
■ ¡Veinte!
● ¿Seguro que (9) _____ (hacer) todo eso?
■ Bueno, eso es lo que me (10) _____ (decir)…

24 Completa las listas con alojamientos y medios de transporte. Puedes buscar las palabras en un diccionario o en internet. ¿Quién tiene la lista más larga?

ALOJAMIENTOS	FORMAS DE VIAJAR
un hotel	*en tren*

25 Escribe los siguientes adjetivos en femenino.

1 abierto   _____
2 conformista   _____
3 interesante   _____
4 tradicional   _____
5 valiente   _____
6 solitario   _____
7 irresponsable   _____
8 aventurero   _____
9 sensible   _____
10 sociable   _____
11 reservado   _____
12 independiente   _____

26 Escribe un adjetivo contrario.

1 cobarde   *valiente*
2 inconformista   _____
3 responsable   _____
4 moderno   _____
5 inflexible   _____
6 cerrado   _____
7 dependiente   _____
8 solitario   _____

27 Todos hemos hecho alguna tontería en nuestra vida. Pregunta a dos compañeros si han hecho estas cosas alguna vez. Utiliza la segunda persona del plural para preguntar (vosotros).

1 Enviar un mensaje de texto a la persona equivocada.
2 Salir con la etiqueta de la ropa nueva a la calle.
3 Confundir la sal con el azúcar en una comida.
4 Dormirse en clase.
5 Cerrar la puerta y dejar las llaves dentro.
6 Ir a comprar y no llevar dinero.
7 Entrar en un baño público del sexo opuesto.
8 Saludar a alguien en la calle por equivocación.

● *¿Habéis enviado un mensaje de texto a la persona equivocada alguna vez?*
■ *Yo nunca, ¿y tú?*
▲ *Yo lo he hecho muchas veces…*

Lengua y comunicación

Marca la respuesta correcta.

1 Marcelo, ¿____ venir este fin de semana a la playa?
a) ☐ quiero
b) ☐ quiere
c) ☐ quieres

2 No me gusta montar ____ bicicleta.
a) ☐ con
b) ☐ de
c) ☐ en

3 Chicos, ¿vosotros ____ cómo se llama la nueva profesora?
a) ☐ sabes
b) ☐ sabéis
c) ☐ conocéis

4 Yo no ____ patinar ni esquiar.
a) ☐ sé
b) ☐ conozco
c) ☐ sabe

5 Yo no ____ preparar la comida porque tengo que estudiar.
a) ☐ sé
b) ☐ puedo
c) ☐ conozco

6 ¿Qué ciudades de México ____ ustedes?
a) ☐ saben
b) ☐ conocéis
c) ☐ conocen

7 En mi país hay ____ muy altas.
a) ☐ montañas
b) ☐ valles
c) ☐ islas

8 En mi cultura es de mala educación señalar con el dedo ____ alguien.
a) ☐ de
b) ☐ Ø
c) ☐ a

9 ● ¿El Templo Mayor?
■ Está aquí ____ lado, ____ la catedral.
a) ☐ al / detrás
b) ☐ al / detrás de
c) ☐ a / detrás de

10 La calle 16 de Septiembre está ____ esta calle.
a) ☐ el final de
b) ☐ al final
c) ☐ al final de

11 Si vivo en el primer piso y en la segunda puerta, vivo en el ____.
a) ☐ 2.ª 1.ª
b) ☐ 1.º 2.º
c) ☐ 1.º 2.ª

12 Nosotros ____ en México este año.
a) ☐ hemos ido
b) ☐ habéis estado
c) ☐ hemos estado

13 ¿Has ____ a Fermín? No sé dónde está.
a) ☐ visto
b) ☐ dicho
c) ☐ vuelto

14 ¿De dónde vienes? Son las diez de la noche, ¿qué ____ hoy?
a) ☐ has hecho
b) ☐ haces
c) ☐ vas a hacer

15 ¿Vosotros ____ estudiado mucho para el examen?
a) ☐ han
b) ☐ has
c) ☐ habéis

16 No me gustan los hoteles, prefiero ____ un apartamento.
a) ☐ dormir
b) ☐ alquilar
c) ☐ recorrer

17 Javier ha viajado ____ todo el país.
a) ☐ para
b) ☐ por
c) ☐ en

18 Sabe muchas cosas sobre México porque ____ muchas veces a ese país.
a) ☐ ha aprendido
b) ☐ ha viajado
c) ☐ ha vivido

19 No ____ en México.
a) ☐ he nunca estado
b) ☐ nunca he estado
c) ☐ he estado nunca

20 A Marcos le gusta mucho conocer gente nueva, es muy ____.
a) ☐ independiente
b) ☐ sociable
c) ☐ sensible

Total: _____ / 10 puntos

Destrezas

 ## 1. COMPRENSIÓN ESCRITA

1 **Lee el texto. ¿Qué tipo de texto es? Marca (X) la opción correcta.** (___ / 2 puntos)

1 ☐ Un informe sobre México
2 ☐ Un foro sobre México
3 ☐ Un folleto turístico sobre México
4 ☐ Un blog sobre México

2 **Haz una primera lectura del texto y marca (X) cuál de las tres frases es la correcta.** (___ / 2 puntos)

1 ☐ A una persona no le ha gustado el país.
2 ☐ A las cuatro personas les ha gustado el país.
3 ☐ Una persona dice que no es un país recomendable para ir con niños.

3 **Lee las opiniones de los viajeros. ¿Con qué adjetivo(s) se define el viaje en los cuatro casos? Escribe solo uno.** (___ / 2 puntos)

ÁLVARO: _____   JUAN: _____

SILVIA: _____   SARA: _____

4 **Escribe el nombre de las personas que tienen estas opiniones. Nota: hay una frase más de las necesarias.** (___ / 4 puntos)

1 Me ha gustado todo de México. _____
2 Un viaje atractivo, con gente amable y bien organizado. _____
3 Un viaje lleno de arte y entretenimiento. _____
4 México es un país diverso y cercano. _____
5 Una oferta perfecta para adultos y niños. _____

MI VIAJE A MEDIDA A MÉXICO

OPINIONES DE LOS VIAJEROS 🗨

 🗨 **La opinión de Álvaro** 🖊 (abril 2014)
Un viaje increíble, muy recomendable, con una oferta de atractivos turísticos muy variada, desde yacimientos arqueológicos, paisajes y naturaleza, hasta historia, música, costumbres y gastronomía… Un placer para los sentidos. Un país para disfrutar de la amabilidad de sus gentes compartiendo una misma lengua, aunque con matices.
😊**¿Lo mejor?:** Viaje organizado y guiado, sin preocupaciones, con hoteles con encanto.

 🗨 **La opinión de Silvia** 🖊 (abril 2014)
Ha sido un viaje inolvidable para toda la familia. Un viaje perfecto para todos: adultos y niños de 4 y 10 años.
😊**¿Lo mejor?:** Nadar con delfines, hacer *snorkel*, ir de pesca, ir en submarino, ver animales en su entorno natural, ruinas arqueológicas, ciudades coloniales, contacto con la gente y paisajes caribeños increíbles... No se puede pedir más.

 🗨 **La opinión de Juan** 🖊 (octubre 2013)
Ha sido un viaje muy bonito de veinte días, recorriendo la capital, las ciudades coloniales de alrededor (Cuernavaca, Taxco, Cholula, Puebla, San Miguel de Allende, Querétaro, Guanajuato), los estados del sur, como Oaxaca (con las ruinas de Monte Albán) y Chiapas (con el cañón del Sumidero, San Cristóbal de las Casas, Palenque y las Cascadas de Agua Azul)..., y conociendo la península de Yucatán (con sus ciudades arqueológicas de Uxmal, Chichen Itzá..., y su preciosa capital, Mérida). Lo más impactante, la diversidad étnica. Se vive en la calle, con puestos de comida por todos lados, a todas horas… La vitalidad de la Ciudad de México, la tranquilidad de las pequeñas poblaciones, la permanencia de sus tradiciones, el color de la comida y su preparación...
😊**¿Lo mejor?:** El conocimiento de una cultura tan cercana y, a la vez, tan diferente.

 🗨 **La opinión de Sara** 🖊 (agosto 2013)
Hemos conocido varias zonas de México, con sus distintos climas y sus características diferentes. Momentos favoritos: todos. Los guías, los transportes, las visitas…, todo correcto. ¡Un viaje ideal!
😊**¿Lo mejor?:** La ruta ha sido muy completa.

Total: _____ / 10 puntos

2. PRODUCCIÓN ESCRITA

(Mínimo, 50 palabras)

Imagina que has viajado a un país hispanohablante. Escribe un <u>blog</u> sobre tu experiencia.

Incluye:

- qué lugares has visitado en el país
- dónde has dormido y cómo has viajado
- qué has hecho
- qué te ha gustado más

▶ EVALUACIÓN DE TU PRODUCCIÓN ESCRITA

- **Lengua** (___ / 4 puntos)
- Léxico: alojamientos, medios de transporte y verbos relacionados con los viajes
- Gramática: pretérito perfecto / marcadores temporales

- **Contenido** (___ / 4 puntos)
- Qué lugares has visitado en el país
- Dónde has dormido y cómo has viajado
- Qué has hecho
- Qué te ha gustado más

- **Formato: blog** (___ / 2 puntos)
- ¿Le has puesto un título?
- ¿Has incluido tu nombre?

Total: _____ / 10 puntos

 3. PRODUCCIÓN Y COMPRENSIÓN ORAL (interacción)

(Mínimo, un minuto cada uno)

Con un compañero, prepara un diálogo sobre las vacaciones.

Incluye:

- dónde has estado
- dónde has dormido
- qué has hecho
- qué te ha gustado más

▶ EVALUACIÓN DE TU PRODUCCIÓN ORAL Y DE LA COMPRENSIÓN ORAL DE TU COMPAÑERO

- **Lengua** (___ / 4 puntos)
- Léxico: descripción de lugares y actividades
- Gramática: pretérito perfecto

- **Contenido** (___ / 4 puntos)
- Qué lugares has visitado en el país
- Dónde has dormido
- Qué has hecho
- Qué te ha gustado más

- **Expresión** (___ / 2 puntos)
- Hablas con fluidez
- Hablas con una buena pronunciación y entonación

- **Interacción** (___ / 10 puntos)
- Comprendes lo que dice tu compañero
- Respondes de forma coherente a lo que dice tu compañero

Total: _____ / 20 puntos

Total: _____ / 50 puntos

Mi progreso

Valora tu progreso después de esta unidad.

Mis habilidades	
- Hablar y escribir sobre viajes, experiencias y hábitos culturales	
- Preguntar y dar direcciones	
- Escribir un correo electrónico y un blog	

Mis conocimientos	
- Léxico de viajes, geografía, accidentes geográficos, direcciones	
- Verbos *saber* y *conocer*	
- Pretérito perfecto y marcadores temporales	
- Abreviaturas	
- Información sobre México y sus lugares turísticos	

Soy más consciente	
- Del valor de los viajes	
- De la importancia de la organización de grupos	
- Del respeto a las distintas culturas	

 Bien   Adecuado   Mal

Aprender a aprender

1 **Completa las siguientes frases sobre hábitos de estudio con las siguientes palabras. Puede haber más de una opción.**

trabajo ● ideas ● nativos ● plazo ● clase ● deberes ● estrategias ● profesor ● decisiones ● redacción

1 Participar en _____ .
2 Hacer los _____ .
3 Presentar un _____ .
4 Buscar nuevas _____ .
5 Escuchar al _____ .

6 Tomar _____ .
7 Escribir una _____ .
8 Desarrollar _____ .
9 Hablar con _____ .
10 Cumplir un _____ .

2 **Relaciona las dos columnas.**

1 Me cuestan
2 Saco
3 Realizo
4 Me aburro
5 Apruebo
6 No me cuesta
7 Me pongo

a malas notas en Inglés.
b nervioso en una presentación.
c siempre los exámenes de Geografía.
d las Matemáticas con buena nota.
e un proyecto cada semana en Biología.
f concentrarme en clase.
g en la clase de Química.

3 ***¿Me cuesta* o *me cuestan*? Completa las frases.**

1 _____ escuchar al profesor durante más de 30 minutos.
2 _____ mucho la Geografía y la Historia.
3 No _____ nada la Biología.
4 No _____ levantarme temprano para ir al instituto.
5 _____ sacar buenas notas en Alemán.
6 No _____ los exámenes de Física.

4 **¿Qué deben hacer un buen alumno, un buen cocinero, un buen padre y un buen actor? Completa los mapas mentales.**

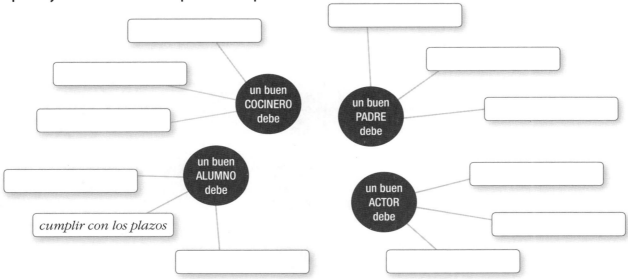

un buen COCINERO debe

un buen PADRE debe

un buen ALUMNO debe

un buen ACTOR debe

cumplir con los plazos

5 Lee el título de la presentación de esta empresa y contesta: ¿cuánto dura la exposición de ideas creativas?

BLOG | LINKEDIN | YOUTUBE | TWITTER | FACEBOOK   ESPAÑOL | INGLÉS

¿QUÉ ES EL SER CREATIVO? IDEAS PARA CAMBIAR EL MUNDO

Las ideas más brillantes en 21 minutos

El Ser Creativo (1) _____ (ser) el nombre de una empresa que (2) _____ (organizar) eventos en los que se (3) _____ (exponer) las mejores ideas para (4) _____ (cambiar) el mundo. Con una temática multidisciplinar, los eventos organizados por El Ser Creativo (5) _____ (reunir) a los mejores expertos nacionales e internacionales en diferentes campos del conocimiento y las artes. Cada experto (6) _____ (disponer) de 21 minutos para (7) _____ (exponer) sus ideas. Este es el tiempo que se (8) _____ (estimar) que el cerebro (9) _____ (prestar) la máxima atención…

Veintiún minutos para (10) _____ (exponer) las mejores ideas sobre algunos de los temas que (11) _____ (afectar) a la humanidad y su futuro. Ponencias y debates para (12) _____ (hablar) de los temas que (13) _____ (ser) inquietudes generales de la humanidad: creatividad, innovación, salud, cambio climático, sostenibilidad, evolución, genética, educación, neurociencia, tecnología, religión, redes sociales, ética…

Extraído de www.elsercreativo.com

6 Lee el texto y complétalo con los verbos entre paréntesis.

7 ¿Te parece interesante la plataforma de El Ser Creativo? ¿Por qué? Coméntalo con un compañero.

Cambios en los sistemas educativos

8 Completa la tabla con *estar/seguir* + gerundio.

	yo	tú	él, ella, usted	nosotros/-as	vosotros/-as	ellos/-as, ustedes
Estar + cambiar	estoy cambiando	estás cambiando	está cambiando	estamos cambiando	estáis cambiando	están cambiando
Seguir + leer	sigo leyendo	sigues leyendo	sigue leyendo	seguimos leyendo	seguís leyendo	siguen leyendo
Estar + oír	estoy oyendo	está oyendo	está oyendo	estamos oyendo	estáis oyendo	están oyendo
Seguir + hablar	sigo hablando	sigues hablando	sigue hablando	seguimos hablando	seguís hablando	siguen hablando
Estar + aprender	estoy aprendiendo	estás aprendiendo	está aprendiendo	estamos aprendiendo	estáis aprendiendo	están aprendiendo
Seguir + contribuir	sigo contribuyendo	sigues contribuyendo	sigue contribuyendo	seguimos contribuyendo	seguís contribuyendo	siguen contribuyendo

9 ¿A qué tres frases corresponden estas imágenes?

1 Estoy haciendo un examen y ¡me está costando mucho!   ☑ B ✔
2 Estamos jugando un torneo de ajedrez.   ☐
3 Maarten está buscando un libro de historia en la biblioteca.   ☑ C ✔
4 Carla está sola estudiando para su examen de Historia.   ☐
5 Tobías y Marius están presentando un trabajo.   ☐
6 María, Kate y Tom están buscando información para el proyecto.   ☑ A ✔

10 Mira lo que están haciendo en cada clase de este instituto y escríbelo. Usa las siguientes expresiones.

leer un libro ● escuchar música ● aprender italiano ● hacer ejercicios ● pintar un cuadro ● practicar gimnasia ✓

Clase 1: *Están aprendiendo italiano.*
Clase 2: *Están leyendo un libro.* ✓
Clase 3: *Están haciendo ejercicios* ✓

Clase 4: *Están escuchando música.* ✓
Clase 5: *Están pintando un cuadro* ✓
Clase 6: *Están practicando gimnasia.* ✓

11 Lee el correo de María a su amiga Christine y completa las frases con gerundios.

Mensaje nuevo   — ↗ ×

Hola, Christine:
¿Cómo estás? ¿Sigues (1) estudiando ✓ (estudiar) para tu examen de Biología? ¡Espero que no! 希望不是。
Necesitamos tu ayuda... Dos compañeros y yo estamos
(2) preparando ✓ (preparar) un proyecto en la clase de francés y estamos un poco perdidos. Tenemos que hacer una presentación oral y nuestra pronunciación es ¡un desastre!
¿Nos ayudas? Estamos (3) leyendo (leer) en voz alta, estamos (4) haciendo (hacer) ejercicios de pronunciación y estamos (5) trabajando (trabajar) mucho, pero nos cuesta mucho hablar en francés. No sabemos qué hacer y estamos
(6) perdiendo (perder) un poco la paciencia.
¿Puedes ayudarnos?
Besos,
María

12 🔊29 Escucha a un profesor de Bolivia hablando del efecto del uso de las TIC en el aula y contesta a las preguntas.

1 ¿Cómo se sienten los alumnos?
_____

2 ¿Tienen material para las TIC?
_____

3 ¿Qué comprenden mejor los alumnos?
_____

13 ¿Qué elementos forman la estructura de un sistema educativo? Coloca las siguientes palabras o frases en las distintas columnas.

✓Educación Preescolar ✓Educación de menores
✓ Director(a) ✓El instituto ✓La escuela ✓Maestro/-a
✓El colegio ✓Padres ✓Profesor(a) ✓La universidad
✓ Educación de adultos ✓ Educación especial
✓ Alumno/-a / Estudiante ✓Educación Secundaria
→Educación Primaria ✓Educación Superior (universitaria)

Niveles	Modalidades	Comunidad educativa	Instituciones educativas
Educación Preescolar	*Educación de menores*	*Padres*	*El instituto*
educación secundaria	educación de adultos	director/a. maestro/a. profesor/a	La escuela. el colegio
educación primaria.	educación especial	alumno/a estudiante.	la universidad
educación superior			

Otras formas de educarse

14 **¿A qué actividades se refieren estas definiciones? Escribe el nombre.** 身体 专业

1 Movimiento del cuerpo al compás de la música: *baile.*

2 Actividad de componer, interpretar o poner en escena obras dramáticas: _teatro_ .

3 Técnica de desarrollo, fortalecimiento y flexibilización del cuerpo por medio del ejercicio físico: 发展
danze 灵活性

4 Arte y técnica de nadar como deporte o ejercicio: _natación_ .

5 Arte de pintar: _pintura_ .

6 Arte de combinar los sonidos de la voz humana o de los instrumentos, o de unos y otros a la vez, para producir un determinado efecto: _acrobacia_ .

7 Actividad de representar palabras o ideas con letras y otros signos: _lectura_ .

8 Arte de realizar una obra con piedra, madera, metal u otros materiales: _arquitectura_

15 **Lee estos dos folletos de Bolivia y contesta a las preguntas.**

Clases de charango a cargo del maestro

Jorge Alvarado

Especializado en charango desde 1979

Lugar: en la prestigiosa Academia Musical Amerindia creada en 1991 y por la que han pasado reconocidos artistas bolivianos.

Dirección: calle Junín, n.º 12, Cochabamba.

Tel.: 591 44407371

http://www.jorgealvarado-bo.com

1 ¿Cuánto tiempo hace que Jorge Alvarado da clases de charango?
Es cuarenta - cuatro años.

2 ¿Desde hace cuántos años funciona la Academia Musical Amerindia? 9+23
Desde hace trienta años.

3 ¿Qué es Ayni Bolivia?
Ayni Bolivia es una organización de comercio justo.

4 ¿Cuánto tiempo hace que funciona?
Hace que

5 ¿Desde cuándo está la tienda en el centro de La Paz?
La tienda en el centro de La Paz desde 2012.

Ayni Bolivia

Somos una organización de comercio justo en la que trabajamos desde hace más de una década junto a 25 talleres pequeños de productores: comercializando sus artesanías, ayudando con la administración y las ventas, haciendo productos que respetan profundamente nuestro medio ambiente y responden a las exigencias de nuestros clientes en Bolivia y el exterior.

Nuestra tienda está en La Paz desde 2012. La vas a encontrar en pleno centro. Av. Illampu, 704 (Hotel Rosario) La Paz, Bolivia

Horarios:
Lunes a viernes, de 9:00 a 20:00
Sábados, de 10:00 a 13:00
Tel.: (591) 2792395 76217335

16 **Ahora, tú. Completa las frases. Luego escribe tres frases más con actividades que haces y menciona desde cuándo las haces.**

1 Hace _dos años_ que estudio español.

2 Desde _2010_ practico (deporte).

3 Estudio en este centro desde hace _un años_ .

4 _Estudio toca piano desde 2010_

5 _Escucho musica desde 2010_

6 _Hace 2 años que más practico danze_

17 **30** Escucha a Carmen hablando de su semana con una amiga. Marca con una cruz (X) las frases que dice.

parar – to stop
¿ Yo no paro ?
→ never stop

1 Carmen practica equitación los lunes después del instituto. [X]
2 Los lunes también hace yoga después del instituto. [ ]
3 Los martes y viernes, antes de ir a teatro, toca la guitarra. [X]
4 Los viernes, antes de practicar *hockey,* va al instituto. [ ]
5 Los jueves está haciendo un voluntariado. [X]
6 Después de ir a visitar a niños en hospitales, va al teatro. [ ]

18 Elige un día de la semana y escribe lo que haces antes y después de ir a clase.

Normalmente, los viernes, me levantarse a las ocho en punto. Las clases empiezan a las nueve y media.
Tengo las clases de psycología, el arte el español y el ingles.

19 Completa la tabla.

	empezar	acabar	poder
yo	empienzo	acabo	puedo
tú	empienzes	acabas	puede
él, ella, usted	empienze	acaba	puedes
nosotros/-as	empezamos	acabamos	podemos
vosotros/-as	empezáis	acabáis	podeis
ellos/-as, ustedes	empienzan	acaban	pueden

20 Lee un fragmento de un artículo sobre la educación y complétalo con las partes que faltan. Hay dos partes más de las necesarias.

a acaba de
b donde se pueden
c Debe cambiar
d Deben acompañarse
e están expresando
f empieza

Educación al servicio de la comunidad

Un nuevo modelo de aprendizaje trata de inculcar los valores de los Derechos Humanos a través del trabajo de los alumnos directamente con comunidades desfavorecidas

N. CAPARRÓS y D. CARBONERO (Cátedra Unesco)

El reto que plantea el desarrollo sostenible es hoy mayor que nunca. Cada vez se tiene más conciencia de que los avances tecnológicos, las legislaciones y los marcos políticos no bastan. (1) *Deben acompañarse* de cambios en las mentalidades y en los valores y del fortalecimiento de la visión transformadora de los individuos.
La educación (2) *acaba de* a ser una respuesta a estos retos globales que, como ciudadanos del mundo, hemos identificado. Las Naciones Unidas y las organizaciones internacionales están expresando la necesidad de establecer políticas educativas integradoras y holísticas, y los tratados internacionales más esenciales coinciden en las orientaciones, contenido y alcance que deben tomar los planes de estudio.
La Unesco (3) *empieza* desarrollar todo un plan de acción teórico-práctico en torno a la educación para el desarrollo sostenible, (4) *donde se pueden* configurar nuevas metodologías pedagógicas y docentes para el progreso de los conocimientos académicos, las competencias cognitivas y el desarrollo de competencias para el ejercicio de una ciudadanía activa y la educación en derechos humanos.

Extraído de www.elpais.com

21 ¿*B* o *V*? Escribe cinco palabras que has visto en la unidad con *b* y cinco con *v*. Después, compara las palabras con las de tu compañero.

B	V
1 _____	1 _____
2 _____	2 _____
3 _____	3 _____
4 _____	4 _____
5 _____	5 _____

→ ## Lengua y comunicación

Marca la respuesta correcta.

1 Me ____ las Matemáticas.
a) ☐ cuesta
b) ☑ cuestan
c) ☐ gusta

2 Siempre ____ buenas notas en Español.
a) ☑ hago
b) ☐ saco
c) ☐ realizo

3 Un buen alumno debe ____ una mentalidad abierta.
a) ☐ teniendo
b) ☐ tenido
c) ☑ tener

4 La educación está ____ en todo el mundo.
a) ☑ cambiando
b) ☐ cambiar
c) ☐ cambiado

5 No ____ leyendo mucho, no tengo tiempo.
a) ☐ estamos
b) ☑ estoy
c) ☑ están

6 Esta semana estamos ____ mucha música latina en clase.
a) ☑ oyendo
b) ☐ oído
c) ☐ oír

7 Me encanta mi clase de yoga, empiezo ____ sentirme muy relajada.
a) ☐ de
b) ☑ a
c) ☐ con

8 Soy consciente de que tengo que desarrollar ____ para aprender mejor.
a) ☐ deberes
b) ☐ errores
c) ☑ estrategias

9 Rodrigo acaba ____ presentar un proyecto muy interesante.
a) ☑ de
b) ☐ Ø
c) ☐ a

10 El número de colegios que utilizan las TIC ____ aumentando.
a) ☐ están
b) ☐ sigue
c) ☑ siguen

11 La comunidad ____ está formada también por padres.
a) ☑ educación
b) ☐ educativa
c) ☐ educada

12 Los gobiernos ____ invirtiendo dinero en educación en este momento.
a) ☐ son
b) ☑ están
c) ☐ siendo

13 Practico natación ____ 2006.
a) ☐ desde hace
b) ☐ hace
c) ☑ desde

14 Después de ____ yoga, voy a casa.
a) ☐ practicar
b) ☑ practico
c) ☐ practicando

15 ____ cinco años que estudio portugués.
a) ☑ Desde
b) ☐ Hace
c) ☐ Desde hace

16 ____ muchos años toco la guitarra eléctrica.
a) ☑ Desde hace
b) ☐ Hace
c) ☐ De

17 Los sábados, antes de ____ al fútbol, siempre voy con mi madre al supermercado.
a) ☐ jugando
b) ☐ juego
c) ☑ jugar

18 Siempre ____ errores de ortografía en mis exámenes de Español.
a) ☑ saco
b) ☐ cometo
c) ☐ tomo

19 ____ apuntes a menudo, me ayuda mucho.
a) ☐ Realizo
b) ☐ Participo
c) ☑ Tomo

20 Todas mis carpetas y cuadernos tienen mi toque ____.
a) ☑ personal
b) ☐ interesante
c) ☐ participativo

Total: ____ / 10 puntos

Destrezas

 1. COMPRENSIÓN ESCRITA

1 **¿Cuáles son los cuatro temas más interesantes del año que menciona el título del blog?** (___ /de 2 puntos)

1 _____

2 _____

3 _____

4 _____

2 **Lee el apartado «Pensamiento crítico» y contesta a la pregunta.** (___ /de 2 puntos)

¿Qué significa *pensamiento crítico*?

_____

_____

_____

3 **Lee el apartado «Innovación en educación» y busca una palabra que signifique lo mismo que:** (___ /de 2 puntos)

1 cambio _____ 2 tenemos que _____

4 **Lee el apartado «Inteligencias múltiples» y completa el texto con las palabras del recuadro.** (___ /de 2 puntos)

enseñar • personales • educativo • inteligencia

5 **Lee el apartado «Educación y emoción» y nombra al menos dos efectos de las emociones positivas.** (___ /de 2 puntos)

1 _____

2 _____

Con TIC

educar la mente…, educar la emoción
(y corazón)

INICIO CON TIC + CON CORAZÓN BLOG CONTACTO

Beatriz Montesinos

LOS 4 TEMAS MÁS INTERESANTES DEL AÑO

Aquí está mi resumen del año, con aquellos temas que más han despertado el interés de los lectores de *conTICycorazon* y del magazine de INED21, donde tengo el placer de escribir y editar contenidos relacionados con la psicología y la educación.

1. PENSAMIENTO CRÍTICO

Aprender a pensar, a ser crítico con lo que se enseña y con lo que se aprende, es uno de los principios de los que más se ha hablado este año. En una sociedad del conocimiento, no podemos educar ciudadanos como meros consumidores pasivos de información. Es necesario educar a personas capaces de pensar por sí mismas.

2. INNOVACIÓN EN EDUCACIÓN

Innovación en educación. ¿De qué estamos hablando? [...] La gran innovación va a venir de la mano de un cambio de modelo, se va a cambiar el foco de atención del contenido al proceso, del profesor al alumno, de lo teórico y memorístico a la importancia de la experiencia [...]. Pero, entonces, ¿a qué o a quién debemos esperar para que todo esto se produzca? Empieza TÚ mismo AHORA.

3. INTELIGENCIAS MÚLTIPLES

El enfoque (1) _____ basado en la teoría de las inteligencias múltiples, de Howard Gardner, es un enfoque de actualidad. Moda para algunos, teoría clave para lograr un cambio en el modo de (2) _____ y aprender para otros, lo que es evidente es que su planteamiento de la (3) _____ humana, basado en las diferencias (4) _____, supone una visión mucho más positiva de la educación.

4. EDUCACIÓN Y EMOCIÓN

En los últimos años, la ciencia está demostrando el impacto que tienen las emociones en el aprendizaje y la importancia de la gestión de las mismas frente a los contenidos académicos. Las emociones positivas tienen efectos beneficiosos sobre el aprendizaje al mejorar procesos relacionados con la atención, la memoria o la resolución creativa de problemas.

Un clima emocional positivo en el aula, creado o favorecido por el profesor, es el instrumento didáctico más potente; y los alumnos que aprenden acerca de sus emociones y cómo manejarlas serán adultos con una mayor capacidad de control de sus propias vidas y de su bienestar personal.

Total: _____ / 10 puntos

2. PRODUCCIÓN ESCRITA

(100 palabras, aproximadamente)

Escribe un artículo en una revista sobre la educación en tu país.

Incluye:

- introducción: sobre la educación en tu país en general
- estructura del sistema educativo
- situación actual
- conclusión: tu opinión sobre el futuro

▶ EVALUACIÓN DE TU PRODUCCIÓN ESCRITA

- **Lengua** (___ / 4 puntos)
- Léxico: sistemas educativos
- Gramática: presente, gerundio, conectores

- **Contenido** (___ / 4 puntos)
- Introducción: sobre la educación en tu país
- Estructura del sistema educativo
- Situación actual
- Conclusión: tu opinión sobre el futuro

- *** Formato: artículo** (___ / 2 puntos)
- ¿Hay título?
- ¿Incluyes quién escribe el artículo?

> **Total:** _____ **/ 10 puntos**

3. PRODUCCIÓN Y COMPRENSIÓN ORAL (interacción)

(Mínimo, dos minutos)

Con un compañero, habla de las actividades extraescolares que realizáis.

Incluye:

- qué actividad estás realizando
- desde cuándo la realizas
- por qué la estás realizando
- qué debes hacer para mejorar en la actividad

▶ EVALUACIÓN DE TU PRODUCCIÓN ORAL
Y LA COMPRENSIÓN ORAL DE TU COMPAÑERO

- **Lengua** (___ / 4 puntos)
- Léxico: las actividades extraescolares
- Gramática: *estar* + gerundio, *deber, desde hace, hace... que*

- **Contenido** (___ / 4 puntos)
- Expresar qué actividad se realiza
- Decir desde hace cuánto tiempo se realiza
- Decir la razón por la cual se está realizando la actividad
- Decir qué se debe hacer para mejorar

- **Expresión** (___ / 2 puntos)
- Hablas con fluidez
- Tienes una buena pronunciación y entonación

- **Interacción** (___ / 10 puntos)
- Comprendes lo que dice tu compañero y utilizas estrategias
- Respondes de forma coherente a lo que dice tu compañero

> **Total:** _____ **/ 20 puntos**

> **Total:** _____ **/ 50 puntos**

Mi progreso

Valora tu progreso después de esta unidad.

Mis habilidades	

- Hablar, entender y escribir sobre las características de un buen alumno, los sistemas educativos y otras formas de educarse
- Entender y escribir un artículo, un texto de opinión y un decálogo

Mis conocimientos	

- Características de un buen alumno
- Perífrasis verbales con gerundio e infinitivo
- Expresiones con *desde, hace... que, desde hace, después de, antes de*
- Las letras *b* y *v*
- Información sobre Bolivia y los sistemas educativos

Soy más consciente	

- De las características de un buen alumno, los sistemas educativos y diferentes formas de educarse
- De la importancia de responsabilizarme de mi propio aprendizaje
- De las estrategias para aprender mejor

 Bien   Adecuado   Mal

11 Consumo

La moda

1 Relaciona las palabras de la columna de la izquierda con las de la derecha.

1 ser un experto en *h* ✓	*a* comercial
2 comprar en un centro *f . a .*	*b* compras
3 llevar ropa *a . f .*	*c* un descuento
4 ofrecer *c* ✓	*d* al espejo
5 mirarse *d* ✓	*e* poco dinero
6 ir de *b* ✓	*f* de segunda mano
7 quedar bien *g* ✓	*g* una prenda
8 gastar *e* ✓	*h* moda

2 Estas frases están extraídas de la entrevista a Isabel Casas, la bloguera experta en moda. Complétalas con las siguientes palabras o expresiones.

(anotaciones: 便宜的 brand / 街头商场 / 季节)

• barata • marcas • lleva • mercadillos • ropa • temporada
se prueban • descuentos • centros comerciales • rebajas *(销售量)*

1 A muchos jóvenes de hoy no les interesan las _marcas/lleva_, no les gusta comprar la ropa que _lleva_ _marcas_ todo el mundo.

2 Por eso, van a _mercadillos_ donde pueden _centro comerciales / temporada_ encontrar ropa más _barata_ ✓.

3 Suelen ir a _centros comerciales_ donde pueden encontrar la ropa que está de moda cada _descuentos_ _temporada_.

4 Hay épocas del año en que prácticamente todo el mundo compra _temporada_ *ropa* que no necesita: cuando hay _rebajas_ ✓.

5 La mayoría de las marcas y las tiendas ofrecen el *stock* que no han vendido durante la temporada con _descuentos_ que pueden llegar hasta el 70%.

6 Todos o casi todos se miran en el espejo y _se quedaron por_ varias prendas antes de salir de casa, igual que las chicas.

④ , siempre llevo ropa de deporte.

3 (31) Escucha y anota tus respuestas. *→ yes for me.*

yo también • yo tampoco • yo sí • yo no

1 _Yo no (Voy a compras con mis padres)_
2 _Yo a veces (siempre compro la ropa tiendes y_
3 _Yo tampoco → 买 (Yo nunca compro ropa de segundo mano de mercadillos_
4 _Yo tamibén._
5 _Yo no (Yo siempre llevo vestidos)_
6 _Yo tampoca. (No soulvo llevar trajes)_

→ soler = often do (verb)

4 Responde a las siguientes preguntas y después coméntalas con tu compañero.

1 ¿Sueles llevar ropa de marca?
   ● *Yo nunca llevo ropa de marca.*
   ■ *Yo sí.*

2 ¿Gastas mucho dinero en ropa?
   _No._

3 ¿Normalmente, vas de compras solo o acompañado?
   Acompañad.

4 ¿Compras cuando hay rebajas?
   _Sí_

5 ¿Vas de compras a centros comerciales?
   _Sí_

5 Clasifica las siguientes prendas y accesorios. En algunos casos puede haber más de una opción. ¿Puedes ampliar el vocabulario?

✓ zapatos	chaqueta	✓ camisa	pantalones
pendientes	cinturón	bañador	✓ vestido
sandalias	sudadera	✓ abrigo	✓ camiseta
✓ jersey	guantes	✓ zapatillas	✓ gorra
calzoncillos	✓ bragas	bufanda	? falda

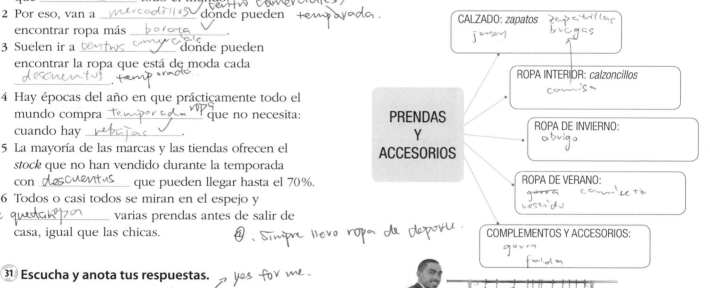

CALZADO: *zapatos* _zapatillas jersey_ _bragas_

ROPA INTERIOR: *calzoncillos* _camisa_

PRENDAS Y ACCESORIOS

ROPA DE INVIERNO: _abrigo_

ROPA DE VERANO: _gorra camiseta vestido_

COMPLEMENTOS Y ACCESORIOS: _gorra falda_

6 Escribe todas las combinaciones posibles con las siguientes palabras.

de piel ● de cuello alto ● de lana ● de fiesta ● de novia
de algodón ● de manga corta ● largo ● negros ● blanca
corto ● de deporte ● de tacón

1 una chaqueta:
negros
de manga largo

2 una camisa:
de manga corta

3 un jersey:
largo

4 un vestido:
de novia
blanca cort

5 unos zapatos:
de novia
de cuello alto.

6 una gorra:
de deporte

7 ¿Qué cosas te quedan bien o mal? Escribe frases en tu cuaderno como las de ejemplo.

Me quedan muy bien los pendientes y los gorros.
No me quedan bien. / Me quedan mal las botas y las faldas largas.

8 ㉜ Escucha este anuncio de un centro comercial colombiano y anota cuánto cuestan estas prendas ahora, en las rebajas.

Gorros, bufandas y guantes

Antes: 150000 pesos — Ahora: *75000* pesos
Antes: 10000 pesos — Ahora: *4000* pesos

Antes: 80000 pesos *25000* — Ahora: *60000* pesos
Antes: 60000 pesos *25000* — Ahora: *25000* pesos *45000*

Antes: 90000 pesos — Ahora: *60000* pesos
Antes: 70000 pesos — Ahora: *50000* pesos

Camiseta de manga corta
Antes: 20000 pesos — Ahora: *15000* pesos

Camiseta de manga larga
Antes: 40000 pesos — Ahora: *20000* pesos

9 En parejas, elige a una de estas personas: tu compañero tiene que adivinar quién es, pero tú solo puedes responder *sí* o *no* a sus preguntas.

● *¿Lleva pantalones cortos?* ■ *No.*

Ariel — Marta — Santi — Carlota — Gibson — Tania — Beth — Carol — Samuel

[handwritten: mía ⇒ Las botas es mías / mío]

10 Elige a un chico y a una chica de las imágenes del ejercicio anterior y escribe en tu cuaderno qué ropa llevan.

[handwritten: Qué ⇒ sustantivo 名词]

De compras

[handwritten: Cuál ⇒ la option + de / verbo]

11 Completa los diálogos con *qué, cuál* o *cuáles*.

1 ● Mira estas botas. ¿_____ *[handwritten: Qué Cuáles]* te gustan más?
   ■ A mí me gustan las rojas.
2 ● ¿_____ *[handwritten: Cuál]* es tu abrigo? ¿Este o ese?
   ■ Es ese, el abrigo de lana.
3 ● ¿_____ *[handwritten: Qué]* camiseta compramos para tu hermano?
   ■ ¿_____ *[handwritten: Cuál]* es la más barata?
4 ● ¿_____ *[handwritten: Qué]* pantalones me compro? ¿Te gustan estos?
   ■ ¿_____ *[handwritten: Cuáles]* ? ¿Los negros?
5 ● ¿_____ *[handwritten: Qué]* cinturón prefieres? ¡Te lo regalo yo!
   ■ El de piel me encanta.
6 ● ¿_____ *[handwritten: Qué]* vestido vas a llevar para la fiesta?
   ■ No sé _____ *[handwritten: cuál]* ¿Y tú?

12 Contesta a las preguntas (utiliza un pronombre de OD para responder).

1 ¿Dónde compras la ropa?
   La compro en _____.
2 ¿Dónde llevas la ropa cuando sales para un fin de semana?
   _____
3 ¿Cuándo llevas gafas de sol?
   _____
4 ¿En qué situaciones usas guantes?
   _____
5 ¿Cuando llevas bufanda en tu país?
   _____
6 ¿Cuándo haces regalos?
   _____
7 ¿Usas gorro?
   _____
8 ¿Llevas accesorios normalmente?
   _____

13 Sustituye las palabras señaladas en negrita por un pronombre. ¡Atención! No siempre tiene la misma posición.

No sé si comprar **este vestido tan bonito** para la fiesta de graduación. Si compro **este vestido,** solo puedo usar **este vestido** para esta fiesta. Pero si llevo **este vestido** en la fiesta, todo el mundo va a pensar que voy muy guapa… No sé, creo que es muy caro. Si cuesta menos de 100 euros, compro **el vestido**, pero si cuesta más no compro **el vestido**. Pero es que si no compro **este vestido** no sé qué me voy a poner en la fiesta… Creo que voy a comprar **el vestido…**, Pero primero me tengo que probar **el vestido** porque si no me queda bien tengo que buscar otra cosa. ¡Decidido! ¡Compro **el vestido**!

14 Escribe en tu cuaderno un texto como el anterior, pero con una de estas prendas. Puedes cambiar todo lo que quieras.

camisa ● chaqueta ● pantalones ● zapatos ● botas ● zapatillas

15 Completa las frases siguiendo el modelo.

1 ● Quiero comprar un anillo a mi novia.
   ■ ¿A María? ¿Estás seguro de que quieres *comprárselo* (comprar a María un anillo)?
2 ● ¿Y si le compramos a Daniela este sombrero?
   ■ Sí, buena idea. Podemos _____ *[handwritten: comprárselo]* (comprar a Daniela este sombrero). *[handwritten: 间代词加在]*
3 ● ¿Puede traerme una talla más grande?
   ■ Sí, claro, ahora mismo _____ *[handwritten: se la traigo]* (le traigo una talla más grande a usted). *[handwritten: 间宾]*
4 ● ¿Por qué no te pruebas este vestido verde?
   ■ ¡Qué bonito! _____ *[handwritten: Voy a probármelo]* (¡Voy a probarme este vestido verde!)
5 ● Podemos comprarle a Sergio unas gafas de sol.
   ■ De acuerdo, _____ *[handwritten: se las regalamos]* (le regalamos a Sergio unas gafas de sol).
6 ● Quiero enviar a mis padres una camiseta desde Colombia.
   ■ ¿Cómo quieres _____ *[handwritten: enviársela]* (enviar una camiseta a tus padres)?
7 ● Mañana, para ir al instituto, me pongo las zapatillas.
   ■ Si tú _____ *[handwritten: te pones]* (te pones las zapatillas), yo también _____ *[handwritten: me los pongo]* (me pongo las zapatillas).

16 Completa las frases con los pronombres adecuados.

le • los • te (x2) • la • me la • se lo • os • les

1 Me encanta llevar pendientes y siempre _____ llevo de plata.
2 • A mi padre _____ he regalado un jersey que he hecho yo.
   ■ Y a ti, ¿qué _____ han regalado?
3 ¿La ropa? _____ compro siempre cuando hay rebajas.
4 • ¿_____ has dado el regalo de aniversario a tus padres?
   ■ No, no _____ he dado. Su aniversario es mañana.
5 ¿Qué _____ van a comprar vuestros padres?
6 • ¿Estás probándo_____ la camisa?
   ■ Sí, _____ estoy probando y me queda muy bien.

17 Construye frases según el modelo.

1 Me quiero probar el cinturón.
   Quiero probármelo. / Me lo quiero probar.
2 Estoy comprando una camisa para Luisa.
   _____ .
3 Queremos regalar a nuestro profesor este libro.
   _____ .
4 Antonia se está poniendo el vestido en este momento.
   _____ .
5 Vamos a regalar las gorras a los niños.
   _____ .
6 Os quiero dar unas botas que tengo en casa.
   _____ .
7 ¿No te quieres probar este vestido?
   _____ .

De segunda mano

18 Escribe el sustantivo de los siguientes verbos.

1 contaminar: *la contaminación*
2 fabricar: _____
3 consumir: _____
4 regalar: _____
5 ahorrar: _____
6 reciclar: _____
7 reutilizar: _____
8 confeccionar: _____

19 Lee el artículo y completa después las siguientes frases.

1 Los diseñadores que basan su diseños en la eco moda utilizan materiales _____.
2 Las grandes marcas también ofrecen colecciones con estos materiales porque _____.
3 Según Liza Arico, lo más importante para estos nuevos diseñadores es _____.

LA ECO MODA

BLANCA ESPADA

La eco moda es una nueva tendencia de algunos diseñadores de crear sus colecciones con materiales reciclados, básicamente textiles ya usados y otro tipo de elementos naturales y ecológicos sin nada sintético ni químico.

Esta tendencia de vanguardia ha sido lanzada y llevada a cabo inicialmente por pequeños diseñadores. Al ver el éxito de esta iniciativa, casi todas las grandes marcas han añadido a sus colecciones una línea ecológica, pero el verdadero espíritu y compromiso está en los pequeños productores.

[...]

Según Liza Arico, una diseñadora francesa, «acercarse al máximo a una nueva clientela europea que busca el NO UNIFORME o la ECO MODA o la MODA ÉTICA y que tienen como principios fundamentales conciliar el arte del creador, el bienestar del trabajador y el respeto al medio ambiente».

Estas palabras de Liza sintetizan de la mejor manera el espíritu de estos nuevos diseñadores, «pequeñas marcas y jóvenes creadores vanguardistas que tienen como sello y características la ética aplicada a su trabajo –que no es otra cosa que el respeto al hombre y al medio ambiente; algo semiolvidado en la jerga comercial– y que para ser aceptados han firmado un código de «honor y buena conducta» comprometiéndose entre otros términos a:

-El respeto a las condiciones de los trabajadores que participan en la fabricación del producto.
-La prohibición del trabajo forzado y esclavo.
-El respeto a un sueldo mínimo y a un límite de horas semanales de trabajo.
-La salud y la seguridad en el lugar de trabajo.
-La libertad sindical.
-La no discriminación.
-La reducción del impacto ambiental de sus fábricas.
-La utilización de materias primas y sustancias con poco impacto en el medio ambiente; sin sustancias químicas ni tóxicas.
-El trabajo en colaboración con artesanos locales.

[...]

Extraído de www.modaellas.com

20 Vuelve a leer el código de honor que han firmado los diseñadores en el artículo anterior; ¿cuáles de las siguientes situaciones lo respetan y cuáles no?

	Sí	No
1 En una empresa, los empleados trabajan un máximo de 40 horas a la semana y tienen derecho a unas vacaciones pagadas.	☐	☐
2 Los trabajadores tienen que trabajar a altas temperaturas en verano.	☐	☐
3 Los trabajadores no pueden estar afiliados a un sindicato.	☐	☐
4 En una empresa utilizan diseños locales y dan trabajo a personas de la región.	☐	☐
5 Se utiliza material reciclado para la confección de las prendas.	☐	☐
6 En una fábrica solo pueden trabajar mujeres menores de 40 años.	☐	☐

21 Describe qué significan estas palabras que han aparecido en la unidad.

1 rebajas: _____
2 trueque: _____
3 objeto: _____
4 consumir: _____
5 regalar: _____
6 reciclar: _____

22 Termina las frases con posesivos.

1 La camisa es de usted, señor Jiménez. La camisa es *suya*.
2 Estas son mis camisetas, estas camisetas son *mías*.
3 Este es tu traje, este traje es *tuyo*.
4 Estos son nuestros bañadores, estos bañadores son *nuestros*.
5 Señora Antúnez, estos son sus guantes, estos guantes son *suyos*.
6 La bufanda es de Mercedes, la bufanda es *suya*.
7 La sudadera es de Marino, la sudadera es *suya*.
8 Estos son vuestros cinturones, estos cinturones son *vuestros*.
9 Los abrigos son de Lucas y de Alberto, los abrigos son *suyos*.
10 Este es tu vestido, este vestido es *tuyo*.

23 Completa las frases con el posesivo.

1 ● Conocemos al escultor Renato Leale.
■ ¿De verdad? ¿Es amigo *tuyo* ?
2 ● Alberto, ¿este cinturón es *tuyo* ?
■ No, no es *mío*, creo que es de Juanjo.
3 ● Este vestido es de Marcela.
■ No, no es *suyo*, es de Loreto.
4 ● Señor Roncero, ¿es *tuya* esta bufanda?
■ Ah, sí, gracias, es *mío*.
5 ● ¿Estos libros son de Ana y de Carolina?
■ Sí, creo que son *suyos*.

24 Completa la tabla con los pronombres y los posesivos que corresponden a cada persona.

Pronombre sujeto (*Tú* hablas.)	Pronombre con preposición (*A él* le gusta.)	Pronombre de objeto directo (*Os* llamo luego.)	Pronombre de objeto indirecto (*Le* envío un mensaje a Cora.)	Posesivo (antes del sustantivo) (Son *tus* amigos.)	Posesivo (después del verbo) (La gorra es *mía*.)
Yo	a mí	me	me	mi(s)	mío/-a/-os/-as
tú	a tí	te	te	tu(s)	tuyo/a (s)
él	a él	lo	le	su(s)	suyo/-a/-os/-as
ella	a ella	la	le	su(s)	suyo/a (s)
nosotro	a nosotros/-as	nos	nos	nosotro/a (s)	nuestro/-a/-os/-as
vosotros/-as	a vosotros/as	os	os	vuestro/-a/-os/-as	vuestro/a (s)
ellos	a ellos	los	les	su(s)	suyo/-a/-os/-as
ellas	a ellas	las	les	su(s)	suyo/a (s)

25 Termina o completa las frases con información sobre ti.

1 Yo _____
2 A mí _____
3 Me _____
4 Mi _____

√ ## Lengua y comunicación

Marca la respuesta correcta.

1 ● Siempre voy de compras con mis padres.
 ■ Yo ____, prefiero ir con mis amigos.
 a) ☐ también
 b) ☑ no
 c) ☐ sí

2 ● Nunca compro ropa de marca.
 ■ Yo ____, prefiero la ropa de los mercadillos.
 a) ☑ tampoco
 b) ☐ no
 c) ☐ sí

3 No me gustan nada las camisas de rayas ni de cuadros, las prefiero ____.
 a) ☑ largas
 b) ☐ lisas
 c) ☐ altas

4 Me gusta ir de rebajas porque todo es más ____.
 a) ☐ caro
 b) ☑ descuento
 c) ☐ barato

5 En invierno, cuando hace frío uso un abrigo ____.
 a) ☑ de tacón
 b) ☐ de lana
 c) ☐ de novia

6 En verano, cuando hace calor, uso pantalones ____.
 a) ☑ de manga corta
 b) ☐ de cuello alto
 c) ☐ de algodón

7 Para ir al gimnasio siempre llevo ____.
 a) ☐ unos zapatos
 b) ☑ unas zapatillas
 c) ☐ unas botas

8 No me gusta nada ____ la ropa.
 a) ☐ probarme
 b) ☐ ponerse
 c) ☑ quedar

9 Estás muy guapo con esta camisa. Te queda ____.
 a) ☑ muy bien
 b) ☐ mucho
 c) ☐ muy mal

10 ¿ ____ gorra compro? ¿La roja o la verde?
 a) ☐ Cuál
 b) ☑ Qué
 c) ☐ Cuáles

11 ● No sé qué vestido comprar.
 ■ ¿ ____ vas a llevar en una fiesta?
 a) ☑ Lo
 b) ☐ Te
 c) ☐ Le

12 Tenemos un regalo para Ana y Juan, ¿cuándo ____ damos?
 a) ☐ se la
 b) ☑ se lo
 c) ☐ se los

13 ¿Estás ____ los pantalones?
 a) ☑ probándote
 b) ☐ probándose
 c) ☐ probándolos

14 ¿Me puedes ____ una talla más grande, por favor?
 a) ☑ llevar
 b) ☐ traer
 c) ☐ probar

15 Perdone, ¿cuánto ____ esta chaqueta?
 a) ☐ cuesta
 b) ☑ es
 c) ☐ gasta

16 Mira estas gorras para los niños, ¿ ____ compramos?
 a) ☐ se los
 b) ☑ se las
 c) ☐ les

17 ¿El regalo de María? Vamos a ____ mañana.
 a) ☑ dársela
 b) ☐ darle
 c) ☐ dárselo

18 Antonia, ¿estos pendientes son ____?
 a) ☑ tuyas
 b) ☑ tuyos
 c) ☐ tus

19 ● ¿Estas camisetas son de Laura?
 ■ No, no son ____, son de Camila.
 a) ☐ tuyas
 b) ☐ mías
 c) ☑ suyas

20 Señor Ramírez, ¿esta bufanda es ____?
 a) ☐ su
 b) ☑ tuya
 c) ☐ suya

Total: _____ / 10 puntos

Destrezas

 1. COMPRENSIÓN ESCRITA

1 Lee el texto. ¿Qué tipo de texto es? Marca (X) la opción correcta. (___ / 2 puntos)

1 Un foro ☐
2 Un folleto promocional ☐
3 Un artículo en una revista digital ☑
4 Una entrevista ☐

2 Busca en el texto los sinónimos de estas cuatro palabras. (___ / 2 puntos)

En el párrafo 1:
1 bonitos: _____
2 descuento: _____

En el párrafo 2:
3 números: _____
4 días: _____

3 Marca si estas informaciones son verdaderas (V) o falsas (F). (___ / 6 puntos)

1 Las rebajas en Colombia son todo el mes de enero y todo el de febrero. ☑
2 La gerente de Fenalco afirma que en los últimos años no solo hay rebajas en enero y en febrero. ☑
3 En Mango ofrecen un descuento del 50 % todo el año. ☑
4 En Bogotá los centros comerciales tienen rebajas en diferentes fechas. ☑
5 En Medellín los centros comerciales más grandes ofrecen descuentos a finales de febrero. ☑

TEMPORADA DE REBAJAS

Comprar a mitad de precio la chaqueta que le gusta; pagar un 50 y hasta un 60 % menos por los zapatos más lindos de su tienda favorita; todo eso es posible gracias a la temporada de rebajas que ofrece por estas fechas el comercio nacional. A partir del 6 de enero y hasta finales de febrero, los almacenes y las tiendas de ropa se llenan de rebajas y promociones. Así lo explica Carolina Nieto, gerente del área de Investigaciones Económicas de Fenalco Bogotá, y asegura que en Colombia hay cada vez más jornadas de precios especiales por la llegada de cadenas internacionales. «Es muy difícil medir el fenómeno en cifras», explica, «pues de unos años para acá prácticamente hay rebajas todos los meses, aunque las temporadas fuertes son enero y febrero».

María Isabel Uribe, gerente de Mango en Colombia, destaca la importancia de estas fechas. Ponemos en rebajas del 50 % todo lo que nos queda de la colección de fin de año. Es una oportunidad para atraer a otro tipo de clientes, explica.

- En Bogotá tienen jornadas especiales los siguientes centros comerciales: Santa Fe (7 al 15 de febrero), Unicentro (29 de enero al 8 de febrero), Plaza Imperial (13 al 22 de febrero), Plaza de las Américas (comienza el 6 de febrero), Gran Estación (26 de enero al 3 de febrero) y Hayuelos (25 de enero al 20 de febrero).
- En Medellín los principales centros comerciales preparan «Medellín es una Ganga», que se realiza en más de 1500 almacenes de la ciudad a fines de febrero.
- En Barranquilla sus sus dos centros comerciales más importantes, Buena Vista y Portal del Prado, promocionan sus jornadas de descuentos en el mes de agosto.

Extraído de www.portafolio.com

2. PRODUCCIÓN ESCRITA

(100 palabras, aproximadamente)

Escribe un breve artículo para la revista de tu colegio sobre consumo responsable.

Incluye:
- una introducción
- tus hábitos de consumo
- ideas y sugerencias para un consumo responsable
- una conclusión

▶ EVALUACIÓN DE TU PRODUCCIÓN ESCRITA

- **Lengua** (_2_ / 4 puntos)
  - Léxico: vocabulario de ropa, compras y moda
  - Gramática: pronombres de OD /OI, posesivos

- **Contenido** (_1_ / 4 puntos)
  - Introducción
  - Tus hábitos de consumo
  - Ideas y sugerencias para un consumo responsable
  - Conclusión

- **Formato: artículo** (_1_ / 2 puntos)
  - ¿Hay título?
  - ¿Tiene autor?

> Total: _____ / 10 puntos

3. PRODUCCIÓNY COMPRENSIÓN ORAL (interacción)

(Mínimo, un minuto cada uno)

Con dos compañeros, prepara un diálogo e imagina que estáis en una tienda. Uno es el dependiente y los otros dos sois dos amigos.

Incluye:
- saludar
- pedir y dar información sobre algunas prendas
- preguntar y decir el precio, la talla, el color…
- probarse una prenda y comprarla

▶ EVALUACIÓN DE TU PRODUCCIÓN ORAL Y DE LA COMPRENSIÓN ORAL DE TU COMPAÑERO

- **Lengua** (___ / 4 puntos)
  - Léxico: ropa, color, materiales y estilos, tallas y precios
  - Gramática: pronombres de OD /OI

- **Contenido** (_1_ / 4 puntos)
  - Saludar
  - Pedir y dar información sobre algunas prendas
  - Preguntar y decir el precio, la talla, el color…
  - Probarse una prenda y comprarla

- **Expresión** (_1_ / 2 puntos)
  - Hablas con fluidez
  - Tienes una buena pronunciación y entonación

- **Interacción** (_6_ / 10 puntos)
  - Comprendes lo que dicen tus compañeros
  - Respondes de forma coherente a lo que dicen tus compañeros

> Total: _____ / 20 puntos

> Total: _____ / 50 puntos

Mi progreso

Valora tu progreso después de esta unidad.

Mis habilidades	
- Hablar, entender, escuchar y escribir sobre compras, moda y consumo	
- Escribir y entender un catálogo de moda	

Mis conocimientos	
- Léxico de la ropa, la moda y el consumo	
- Los pronombres personales de OD /OI	
- Los posesivos	
- Pronunciación y ortografía de la *ch* y la *ll*	
- La diferencia entre *qué* y *cuál* / *cuáles*	
- El acento tónico	
- Información sobre Colombia y el consumo responsable	

Soy más consciente	
- De mis hábitos de consumo	
- De la importancia del respeto a los gustos y criterios de mis compañeros	
- Del valor que tiene aceptar las propuestas de mis compañeros cuando trabajo en grupo	

 Bien   Adecuado   Mal

12 Trabajo

Profesiones

1 Completa las siguientes frases sobre ti y tus hábitos.

1 Los fines de semana suelo _____.
2 Lo bueno de ser estudiante es _____.
3 Lo malo de estudiar es _____.
4 Siento pasión por _____.
5 Paso la mayor parte de mi tiempo _____.
6 Los domingos normalmente me dedico a _____.

2 Ahora pregunta a tu compañero y anota sus respuestas en tu cuaderno, pero antes completa las preguntas.

1 ¿Qué sueles _____?
2 Para ti, ¿qué es lo bueno _____?
3 Para ti, ¿qué es lo malo _____?
4 ¿Por qué _____ pasión?
5 ¿Cómo pasas _____?
6 ¿A qué _____ los domingos?

3 Completa las frases.

jefe ● clientes ● sueldo ● trabajadores ● empresa
entrevista de trabajo ● autónomo ● horario

1 Trabajo en una gran _____.
2 Ahora trabajo en casa, soy _____.
3 Nuestro negocio va muy bien, cada día tenemos más _____.
4 En mi nuevo trabajo me pagan muy bien, tengo muy buen _____.
5 Tengo que cambiar de trabajo porque no me entiendo con mi _____.
6 Estoy nervioso porque mañana tengo una _____.
7 Trabajo solo de nueve a tres. Estoy muy contento con el _____.
8 En la empresa de mi tío hay cincuenta _____.

4 ¿Qué habilidades o conocimientos se necesitan para dedicarse a estas profesiones? Hay varias posibilidades.

1 peluquero
2 enfermero
3 policía
4 decorador
5 actor
6 farmacéutico
7 recepcionista
8 empresario

a ser sociable
b tener conocimientos de química
c tener capacidad para trabajar en equipo
d ser capaz de tomar decisiones
e ser creativo
f saber hablar varios idiomas
g saber negociar

5 Escribe una habilidad o capacidad para poder ejercer estas profesiones.

1 arquitecto/-a 2 médico/-a 3 carpintero/-a
_____ _____ _____

4 pintor(a) 5 cocinero/-a 6 camarero/-a
_____ _____ _____

7 diseñador(a) 8 bailarín(ina) 9 ejecutivo/-a

Desarrollo profesional

6 Completa la tabla con estos verbos regulares en pretérito indefinido.

	aprobar	vender	escribir
yo			
tú			
él, ella, usted			
nosotros/-as			
vosotros/-as			
ellos/-as, ustedes			

7 Completa los siguientes microdiálogos con los verbos que faltan en pretérito indefinido.

1 ● Y tú, ¿cuándo (acabar) _____ el máster?
   ■ Lo (terminar) _____ hace dos años.
2 ● ¿Cuándo (aprender) _____ tu hermano a cocinar profesionalmente?
   ■ En 1980.
3 ● Y vosotros, ¿cuándo (empezar) _____ las prácticas en la empresa?
   ■ Las (empezar) _____ el martes pasado.
4 ● ¿Cuándo (abrir) _____ el negocio tu madre?
   ■ El verano pasado.
5 ● Tus abuelos (vivir) _____ en México, ¿no?
   ■ Sí, hace muchos años. Creo que (emigrar) _____ en los años sesenta.
6 ● Fernando, ¿qué (estudiar) _____ cuando (acabar) _____ bachillerato?
   ■ No (estudiar) _____ nada, (trabajar) _____ en un restaurante durante seis meses.
7 ● Señor Hernández, ¿cuándo (vender) _____ su empresa?
   ■ No la (vender) _____, la (cerrar) _____ en junio.

8 Ordena los marcadores temporales del más lejano al más cercano al presente.

hace quince años ● en 1992 ● en el siglo XIX ● ayer
el verano pasado ● hace dos años ● en octubre ● anteayer
la semana pasada ● en diciembre de 2013 ● el viernes

_____, _____, _____,
_____, _____, _____,
_____, _____, _____,
_____, _____, hoy

9 Escribe una frase con tres de los marcadores temporales del ejercicio anterior.

1 _____
2 _____
3 _____

10 Completa la tabla con estos verbos irregulares en pretérito indefinido.

ser / ir	estar	hacer(se)	dar	tener
fui		(me) hice		tuve
	estuviste		diste	
fue		(se) hi**z**o		tuvo
	estuvimos		dimos	
fuisteis		(os) hicisteis		tuvisteis
	estuvieron		dieron	

11 ¿Sabes quiénes son estos personajes? Relaciona las frases con las fotos.

1 Estuvo 30 años en la cárcel y fue presidente de Sudáfrica.
2 Fue una famosa diseñadora de ropa que cambió la forma de vestir de las mujeres.
3 Fue un empresario y un magnate de los negocios y fundó Apple.
4 Escribió *Harry Potter* y tuvo mucho éxito. Se hizo multimillonaria en solo cinco años.
5 Fue el científico más conocido del siglo XX y descubrió la teoría de la relatividad.
6 Luchó por los derechos de los afroamericanos y en un famoso discurso en Washington dijo: «Yo tengo un sueño».

Albert Einstein ☐

Coco Chanel ☐

Martin Luther King ☐

Steve Jobs ☐

J. R. Rowling ☐

Nelson Mandela ☐

12 Busca información en internet sobre los personajes del ejercicio anterior e incluye una cosa más que hicieron.

1 _____   5 _____

2 _____   6 _____

3 _____   7 _____

4 _____   8 _____

13 Lee este fragmento del blog de un viajero por Latinoamérica que cuenta su experiencia en Paraguay y responde a las preguntas.

JAIME ROLDÁN

PARAGUAY
DE LO QUE ES, NO ES O LO QUE FUE

Me siento más latinoamericano que colombiano mismo; me siento más de todos los lugares por los que voy pasando y hace tanto tiempo soñé. […], Paraguay me volvió a recordar una parte de lo que significa ser latinoamericano.

Después del gigante brasilero todo queda cerca, *tudo fica perto,* como dirían allá. Así es como solo 330 kilómetros me separaron de la capital, Asunción. Fui pasando rápido, con paso seguro en esa línea recta […], pasando por Juan Manuel Frutos, Coronel Oviedo, Itacurubí de la Cordillera, Caacupé. Fui atravesando pueblitos, pequeñas poblaciones, ciudades…, en esas rectas de campos de soja, cultivos de yerba, la yerba del mate y el tereré, tan consumidos aquí. Tereré frío y refrescante, tereré de todas horas, tereré costumbre, de menta o clásico, pero siempre rico. […], Lo otro son comidas para reafirmar aquello de la unidad; seguimos con la conexión del maíz y la yuca. La yuca que es mandioca aquí, la que te sirven en todos los platos, el acompañante de siempre; estamos alimentados por las raíces de la tierra, la misma que desechamos y ensuciamos hasta el cansancio y la inconsciencia.

La cuestión del tiempo en suspenso se nota con fuerza en la capital, Asunción. Aquí me saludan viejos buses que me recuerdan a las provincias de Colombia, donde esos antiguos artefactos todavía se pasean ofreciendo transporte eficiente; de algún modo todavía se mueven, sus latas truenan por todas las calles; aquí los buses «nuevos» son los del vecino país, los que Brasil desechó. Latinoamérica es como el reflejo de una familia y aquella situación donde la ropa del hermano mayor pasa al más pequeño […], También veo una Asunción que progresa bajo la sombra de su gran represa, Itaipú, la más grande del continente, que suministra luz y energía (también la venden). De ella se toma más que agua para transformarla en progreso cuando se quieren dar esos grandes pasos: invertir en educación en el país: Así tenemos una Asunción con un centro limpio, organizado y unas construcciones que impresionan. […]

1 ¿De dónde es la persona que escribe?
_____ .

2 ¿Por qué lugares pasó el autor del blog hasta que llegó a Asunción?
_____ .

3 ¿Qué es el tereré?
_____ .

4 ¿Qué cosas son comunes en Latinoamérica, según el autor?
_____ .

5 ¿Cómo ve el autor la relación entre los diferentes países de Latinoamérica?
_____ .

6 ¿Qué impresión tiene de Asunción?
_____ .

Vida laboral

14 Completa la tabla con las formas verbales que faltan en pretérito indefinido.

	repetir	dormir	leer
yo		dormí	
tú	repetiste		
él, ella, usted			le**y**ó
nosotros/-as		dormimos	
vosotros/-as			leísteis
ellos/-as, ustedes	repitieron		

15 Completa las frases.

de … a ● durante ● después ● al … siguiente ● a los
hasta ● desde ● hace ● al cabo de

1 Fue director de la empresa _____ 2009 _____ 2014.
2 Estudié en Londres desde enero _____ junio.
3 En 2013 acabó sus estudios y dos años _____ se fue a vivir a Atlanta.
4 Hizo unas prácticas en Holanda y _____ año _____ volvió a España.
5 Cambió de trabajo _____ tres meses.
6 Trabajó como camarero en un restaurante _____ tres meses.
7 Encontró trabajo en abril y _____ dos meses lo dejó.
8 Nació en Paraguay y _____ 14 años se fue a vivir a Brasil.
9 Trabaja organizando eventos en Jerez _____ 2013.

16 Escribe un resumen de tu vida e incluye un dato falso. Tus compañeros tienen que descubrir cuál es ese dato.

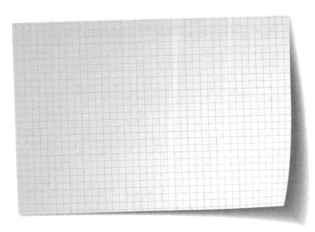

17 Relaciona.

1	hacer	a	casas
2	pasear	b	de canguro
3	dar clases	c	perros
4	trabajar de dependiente en	d	el césped
5	cortar	e	una tienda
		f	particulares a niños

18 Completa el resumen de la vida de Roa Bastos. Puedes extraer la información de la unidad.

el 13 de junio de 1917 ● a los 15 años ● en 1976
al año siguiente ● 12 años después ● ese mismo año
en 2005 ● al cabo de dos años ● hasta 1989

1 Augusto Roa Bastos nació _____ en Asunción.
2 _____ fue a la guerra y empezó a escribir teatro y trabajó como periodista.
3 _____ formó parte del grupo Vy'a Raity.
4 _____ pasó un año en Inglaterra.
5 _____ abandonó Asunción y se fue a Buenos Aires.
6 _____ se trasladó a Francia y vivió en ese país _____
7 _____ regresó a Paraguay.
8 Murió en Asunción _____.

19 (33) Escucha qué dice Roa Bastos sobre Paraguay en un fragmento de una entrevista y completa las frases.

mágico ● una incógnita ● desconocido ● pasado ● el corazón

1 Es un país que es _____ en América Latina.
2 Paraguay es un país _____, incluso en su ubicación geográfica.
3 Me parece que es un país _____, inventado por los novelistas y los escritores.
4 Es un país que existe realmente en _____ de América Latina.
5 Es un país con un gran _____.

20 Lee la historia de dos chicos que tuvieron dificultades en sus estudios, pero triunfaron en sus carreras, y completa los artículos con la información que falta.

a repitió 8.º de EGB y COU*,

b empezó a jugar con el ordenador de su padre,

c se marchó un corto periodo a Inglaterra

d cuando internet llegó a su casa,

e Manuel es responsable de Redes Sociales del Grupo Prisa,

f donde cursó un máster en Administración de Negocios (MBA).

*EGB: En España la Enseñanza General Básica se estudió hasta el año 1996. Actualmente, el plan de estudios es diferente.
COU: Curso de Orientación Universitaria, que dejó de existir en el año 2001. Actualmente, equivale a segundo de Bachillerato.

Extraído de *20 minutos*. Autor: A. Martín Larios.

MANUEL MONTILLA
Fichó por Microsoft con 18 años.

Manuel siempre ha sido un apasionado de la informática. Con apenas 5 años (1) _____ un modelo 486, y desde entonces no ha parado de investigar. Primero fue con la programación y, (2) _____ con las páginas web. Con apenas 15 años comenzó a obtener sus primeros ingresos creando y posicionando sus propias páginas web. Ello, unido a la desmotivación en el instituto, fue el último empujón que lo llevó a abandonar los estudios. [...]

Con 17 años comenzó a trabajar en una empresa de *marketing on-line* y con apenas 18 fue reclutado por Microsoft. «He llegado a entrevistar a gente con dos carreras», comenta con humildad, admitiendo que a pesar de su falta de titulación nunca le han faltado las ofertas laborales. Ahora, con 22 años, (3) _____ se considera «una persona muy afortunada» y no descarta retomar los estudios en un futuro.

GONZALO IBÁÑEZ
Fundó su propia empresa.

[...] El hoy director general de Kanlli, una empresa especializada en servicios de *marketing* interactivos que él mismo fundó, recuerda su mala experiencia como estudiante: (4) _____ y a punto estuvo de matricularse en este último curso por tercera vez. «El profesor de Química me llegó a decir que era idiota», asegura.

Gonzalo no superó la selectividad, pero (5) _____ a estudiar inglés. Tras ello probó suerte en EE. UU., donde se graduó en Publicidad y Relaciones Públicas con una mención de honor. [...] Después de trabajar varios años al otro lado del Atlántico, regresó a España, (6) _____ Actualmente dirige su propia empresa, Kanlli, con cerca de una treintena de personas a su cargo.

21 (34) Completa la conversación con los verbos que faltan. Después, escucha y comprueba.

● Alberto, ¿has trabajado alguna vez?

■ Sí, (1) _____ el año pasado como camarero en una cafetería, pero solo los fines de semana, de junio a septiembre.

● ¿Y (2) _____ mucho dinero?

■ Bueno, bastante…

● ¿Y qué (3) _____ con el dinero? (4) _____ una moto y (5) _____ una parte de la matrícula de la universidad.

■ ¡Qué suerte!

● Lola, y tú, ¿qué trabajos has hecho?

■ Yo, el verano pasado, (6) _____ clases particulares a algunos niños de mi calle. (7) _____ solo durante el mes de julio, porque en agosto casi todos (8) _____ de vacaciones. Y durante el año también hago de canguro para una familia, normalmente, los fines de semana. Es que me encantan los niños. Por eso quiero ser maestra.

● Y este verano, ¿qué vas a hacer?

■ Este verano no lo sé… El año pasado en agosto (9) _____ a Dublín a estudiar inglés. ¿Y tú?

● Creo que voy a volver a la cafetería…

Lengua y comunicación

Marca la respuesta correcta.

1 ¿A qué hora sueles ____ del trabajo?
a) ☐ saliendo
b) ☐ salir
c) ☐ sales

2 Lo bueno de mi trabajo ____ el horario.
a) ☐ es que
b) ☐ es
c) ☐ que

3 Siento pasión ____ los idiomas.
a) ☐ por
b) ☐ de
c) ☐ con

4 En casa paso la mayor parte de mi tiempo ____.
a) ☐ estudio
b) ☐ estudiar
c) ☐ estudiando

5 Lo mío ____ las matemáticas.
a) ☐ es
b) ☐ son
c) ☐ están

6 En mi trabajo ____ hablar con los clientes.
a) ☐ me dedico
b) ☐ me dedico a
c) ☐ dedico a

7 No trabajo en una empresa porque soy ____.
a) ☐ libre
b) ☐ autónomo
c) ☐ trabajador

8 Lo malo de mi trabajo es el sueldo. Gano ____.
a) ☐ mucho
b) ☐ poco
c) ☐ bastante

9 En esta empresa es importante tener ____ de informática.
a) ☐ conocimientos
b) ☐ capacidad
c) ☐ habilidades

10 Es necesario ir bien preparado a un proceso de ____.
a) ☐ entrevista
b) ☐ recursos humanos
c) ☐ selección

11 Mi padre ____ su verdadera vocación en Sudamérica.
a) ☐ descubrí
b) ☐ descubriste
c) ☐ descubrió

12 Llegué a mi país ____ tres años.
a) ☐ desde
b) ☐ hace
c) ☐ al cabo

13 Nací en Barcelona ____ 1998.
a) ☐ el 5 de agosto
b) ☐ 5 de agosto de
c) ☐ el 5 de agosto de

14 ____ en esa empresa cinco años.
a) ☐ Fui
b) ☐ Estuve
c) ☐ Fue

15 ¿Quieres saber qué ____ yo ayer?
a) ☐ hizo
b) ☐ hice
c) ☐ hiciste

16 Nelson Mandela ____ presidente de Sudáfrica.
a) ☐ estuvo
b) ☐ hizo
c) ☐ fue

17 Empecé el proyecto en 2005 y ____ lo terminé.
a) ☐ los dos años después
b) ☐ al cabo de dos años
c) ☐ dos años siguientes

18 Trabajé en una empresa ____ finales de 2012.
a) ☐ hasta
b) ☐ desde
c) ☐ durante

19 Unos amigos me ____ dinero y se lo di.
a) ☐ piden
b) ☐ pidieron
c) ☐ pedisteis

20 Se fue a vivir a Granada después de ____ la carrera.
a) ☐ terminó
b) ☐ terminando
c) ☐ terminar

Total: ____ / 10 puntos

Destrezas

 1. COMPRENSIÓN ESCRITA

---

1 Lee el texto. ¿A quién va dirigido? (___ / 2 puntos)

1 A empresarios ☐
2 A departamentos de Recursos Humanos ☐
3 A candidatos a un trabajo ☐
4 A entrevistadores ☐

2 Busca en el texto a qué cualidades o habilidades corresponden estas frases. Escribe el número al lado. (___ / 8 puntos)

A En una entrevista de trabajo es importante ir bien vestido. ☐
B Si hay cambios en la empresa, debes ser capaz de cambiar tú también. ☐
C Es importante ser optimista y demostrar que quieres hacer ese trabajo. ☐
D En una entrevista debes estar seguro de los conocimientos que dices que tienes. ☐
E Debes tener la capacidad de relacionarte con todo tipo de personas. ☐
F Las empresas buscan personas capaces de resolver problemas. ☐
G Es importante demostrar pasión por el trabajo. ☐
H Debes mostrar seguridad en ti mismo. ☐

Las 10 cualidades que más buscan las empresas

Las personas tenemos muchas cualidades, habilidades, capacidades, conocimientos y competencias tanto en lo personal como en lo profesional. Normalmente, se suelen definir en los perfiles profesionales unas u otras, ya que, dependiendo de las funciones a ejercer, algunas son más relevantes que el resto. Pero casi todas las empresas piden las mismas diez cualidades o habilidades.

1 ACTITUD POSITIVA HACIA EL TRABAJO Y LA VIDA. Para resumirlo de forma sencilla, son aquellas personas que están felices y demuestran que tienen ganas de trabajar (muy pocas lo saben demostrar).

2 FACILIDAD PARA LA COMUNICACIÓN. En un mundo cada día más globalizado y conectado, se valora la capacidad de comunicarse con otros. Ningún puesto de trabajo está aislado de las personas: clientes, proveedores, compañeros, jefes, etc.

3 CONFIANZA. Si confías en ti, también van a confiar en ti los clientes, tus jefes, tus compañeros, el seleccionador, etc. Recuerda que si te llaman a una entrevista es porque creen que puedes ser buen trabajador.

4 CAPACIDAD DE ANÁLISIS Y RESOLUCIÓN DE PROBLEMAS. En todos los puestos hay problemas que pueden surgir, y las empresas necesitan personas capaces de entender lo que ocurrió y, además, solucionarlo.

5 IMAGEN. Es importante dar una buena imagen siempre, y en una entrevista, mucho más.

6 ADAPTABILIDAD. Los entornos cambian y los puestos evolucionan. Si demuestras que puedes adaptarte a los cambios, tienes más posibilidades, ya que el seleccionador va a estar más tranquilo sabiendo que puedes cambiar y evolucionar a medida que lo hace la empresa.

7 AUTOMOTIVACIÓN. Un candidato no debe dar a entender que lo importante para él es el sueldo. El dinero es importante para sobrevivir, pero para alimentar el espíritu también es importante ilusionarse y vivir con pasión el trabajo al que aspiras.

8 LIDERAZGO. Si hay una dificultad y no está el jefe, tú tienes que ser capaz de resolver la situación y guiar a otros. También es importante la capacidad que tienes para liderarte a ti mismo, es decir, tu

capacidad de disciplina, de organización y de gestión de tu tiempo.

9 TRABAJO EN EQUIPO. Tanto si lideras un equipo como si no, tienes que poder trabajar con otros en armonía y con eficacia.

10 CONOCIMIENTOS EN EL ÁREA ESPECÍFICA DE TU TRABAJO. Si la empresa pide tus conocimientos de un programa informático o tus conocimientos de un idioma, tienes que demostrarlo. Analiza bien la oferta de empleo, porque si no cumples uno de los requisitos sobre conocimientos específicos no vas a tener éxito en la entrevista.

AHORA QUE CONOCES LAS MÁS SOLICITADAS, PUEDES SABER CUÁLES TIENES Y, LO MÁS IMPORTANTE, PREPARARTE PARA EXPLICÁRSELAS Y DEMOSTRÁRSELAS AL ENTREVISTADOR.

Extraído de www.mejorartucv.com

Total: _____ / 10 puntos

2. PRODUCCIÓN ESCRITA

(100 palabras, aproximadamente).

Escribe tu biografía (real o inventada).

Incluye:

- tu lugar y fecha de nacimiento
- tu formación y estudios
- tu experiencia laboral
- otros datos personales

▶ EVALUACIÓN DE TU PRODUCCIÓN ESCRITA

- **Lengua** (___ / 4 puntos)
- Léxico: estudios, trabajos, habilidades y capacidades
- Gramática: pretérito indefinido

- **Contenido** (___ / 4 puntos)
- Introducción: lugar y fecha de nacimiento
- Formación y estudios
- Experiencia profesional
- Otros datos personales

- **Formato: biografía** (___ / 2 puntos)
- ¿Has incluido las fechas?
- ¿Has incluido conectores para relacionar las fechas?

Total: _____ / 10 puntos

 ## 3. PRODUCCIÓN Y COMPRENSIÓN ORAL (interacción)

(Mínimo, un minuto cada uno)

Con un compañero, imagina que los dos os presentáis a una entrevista de trabajo.

Incluye:

- vuestros conocimientos (idiomas, estudios, formación, etc.)
- vuestras capacidades y habilidades
- vuestro carácter y forma de ser
- vuestra experiencia laboral

▶ EVALUACIÓN DE TU PRODUCCIÓN ORAL Y DE LA COMPRENSIÓN ORAL DE TU COMPAÑERO

- **Lengua** (___ / 4 puntos)
- Léxico: trabajo, habilidades y capacidades, estudios
- Gramática: pretérito indefinido y marcadores personales

- **Contenido** (___ / 4 puntos)
- Conocimientos (idiomas, estudios, formación, etc.)
- Capacidades y habilidades
- Carácter y forma de ser
- Experiencia laboral

- **Expresión** (___ / 2 puntos)
- Hablas con fluidez
- Tienes una buena pronunciación y entonación

- **Interacción** (___ / 10 puntos)
- Comprendes lo que dice tu compañero
- Respondes y reaccionas de forma coherente a lo que dice tu compañero

Total: _____ / 20 puntos

Total: _____ / 50 puntos

Mi progreso

Valora tu progreso después de esta unidad.

Mis habilidades	
- Hablar, entender y escribir sobre el trabajo, la formación y las capacidades	
- Escribir y entender un currículum	

Mis conocimientos	
- Léxico relacionado con el trabajo, la formación y las capacidades	
- El pretérito indefinido	
- Los marcadores y conectores temporales para el pasado	
- La diferencia entre los sonidos p / b, t / d y k / g	
- Información sobre Paraguay y biografía de un personaje famoso	

Soy más consciente	
- De las posibilidades sobre mi futuro profesional	
- De la importancia de la formación y la experiencia	
- De mis intereses profesionales	

 Bien   Adecuado   Mal

El cuerpo humano

1 Escribe en tu cuaderno las partes del cuerpo.

10. *el la pierna*

la rodilla

9.

el dedo   *el pie*

12   11

1. *la mano*

8 *el pecho*

la cabeza

el pelo
la fuente

4.
5.
6.
7.

3. *el hombro*

2 *el brazo*

2 ¿Con qué partes del cuerpo asocias estas palabras? Escríbelas en el dibujo.

estudiar ● querer ● pensar ● cocinar ● andar ● sentir
comer ● soñar ● ver ● oír ● hablar ● enamorarse

Yo asocio estudiar con la cabeza…

3 Completa las frases con las siguientes palabras.

la nariz ● los pies ● el pelo ● la boca ● los dientes
el dedo ● la cabeza ● los ojos

1 Si vas al dentista es porque tienes problemas con

_____.

2 Si vas a la peluquería es porque quieres cortarte

_____.

3 El sombrero se pone en _____.
4 Los zapatos se ponen en _____.
5 Las gafas se ponen delante de _____.
6 Para respirar se usa _____.
7 Para hablar se usa _____.
8 Un anillo lo llevas en _____.

4 ¿Cómo haces estas cosas: de pie, sentado o tumbado? Colócalas en la tabla. Puede haber varias opciones.

leer ● dormir ● esperar al autobús ● comer
desayunar ● hablar por teléfono ● estudiar
tomar el sol ● correr ● ver la televisión

de pie	sentado	tumbado
esperar al autobús	leer, comer desayunar hablar por tele	dormir

5 Señala los hábitos que se corresponden a una vida sana. Resalta en un color los que son para ti buenos y en otro, los que consideras malos.

ir al gimnasio
hacer ejercicios de meditación
no comer fruta y verdura
hacer pausas en el estudio

estar mucho tiempo sentado
comer comida prefabricada
comer deprisa
beber poca agua

6 Escribe los verbos que corresponden a estos sustantivos.

1 La relajación: *relajarse*
2 La meditación: _____
3 La respiración: _____
4 El cuidado: _____
5 El entrenamiento: _____
6 La bebida: _____
7 El pensamiento: _____
8 El descanso: _____

7 (35) Escucha y di de qué actividades hablan.

1 _____   3 _____
2 _____   4 _____

Problemas de salud

8 Elige la forma correcta.

1 A nosotros nos **duele** / ~~**duelen**~~ mucho los pies hoy porque hemos andado demasiado.
2 A mi madre **le** / **les** duelen mucho los oídos si practica submarinismo.
3 A mí me **duele** / **duelen** la espalda porque he estado muchas horas frente al ordenador.
4 A Juan le **duele** / **duelen** los ojos. Necesita gafas nuevas.
5 A mis amigos les **duele** / ~~**duelen**~~ el estómago porque han comido algo en mal estado.
6 A mi hermano **le** / **les** duelen los dedos porque ha tocado muchas horas el piano.
7 A mí me **duele** / **duelen** las rodillas porque he jugado muchas horas al fútbol.

9 Ordena este diálogo.

[5] ■ Pues he bajado muy deprisa las escaleras y me he dado un golpe. ¡Ay mi pie!
[1] ■ ¡Ay, ay, me duele el pie!
[6] ● Vamos al coche, te llevo al hospital.
[4] ● ¿Pero, qué te pasa?
[3] ■ Roto, no, pero creo que me lo he torcido.
[2] ● ¿Crees que te lo has roto?

10 36 Escucha estas frases y relaciónalas con dónde crees que tienen lugar. Hay varias opciones. Después, comenta y justifica tu respuesta con un compañero.

1 _____
2 _____
3 _____
4 _____

a en el médico
b en el gimnasio
c en casa
d en el instituto

11 37 Completa el diálogo, la parte del paciente, con las siguientes frases. Después, escucha y comprueba.

> A Muy bien. ¿Tengo que volver?
> B ¿Una gripe? ¿Y qué me aconseja?
> C Sí, mucho; bueno también me duelen los brazos, las piernas…, todo el cuerpo.
> D Creo que estoy resfriado, y tengo mucha tos.
> E ¿Y tengo que tomar algún medicamento?
> F Ah, por eso tengo tanto frío….

Doctor: ¿Qué le pasa?
Paciente: (1) __D__
Doctor: ¿Le duele la cabeza?
Paciente: (2) __C__
Doctor: De acuerdo, en primer lugar vamos a ver si tiene fiebre…
[…]
Doctor: Pues sí, tiene 38 de fiebre.
Paciente: (3) __F__
Doctor: Sí, claro, es normal tener frío y calor. Es más que un resfriado; usted tiene una gripe.
Paciente: (4) __B__
Doctor: Es importante quedarse un día o dos en la cama. Además, debe beber mucha agua; bueno, líquidos en general.
Paciente: (5) __E__
Doctor: Sí, aquí tiene la receta: unas pastillas contra la fiebre y otras para la tos.
Paciente: (6) __A__
Doctor: Si no se encuentra mejor en unos días, sí.

12 ¿Cómo te sientes en estas situaciones? Utiliza una o más palabras en cada caso. Puede haber más de una opción.

> relajado ● cansado ● mareado ● agotado ● tenso ● nervioso
> calor ● frío ● dolor de estómago ● dolor de cabeza ● dolor de ojos
> dolor de pies ● dolor de espalda ● tos ● fiebre ● diarrea

1 Hace cuarenta grados. *Me duele la cabeza, tengo sed…*
2 Viajas durante diez horas. _Estoy agotado._
3 Comes demasiados dulces. _____
4 Te han dado un masaje. _Relajado_
5 No has dormido bien por la noche. _Estoy agotado, tengo nervioso mucho_
6 Has estado más de ocho horas estudiando. _Dolor de los ojos._
7 Tienes un examen mañana. _Estoy muy nervioso / ten._
8 Vienes de andar muchas horas por la montaña. _Tengo un dolor de pies_
9 Tienes un catarro muy fuerte. _____

13 Relaciona estos consejos con los posibles problemas de estas personas.

a Tengo dolor de estómago `4`
b Tengo fiebre `1`
c Tengo diarrea 腹泻 `2`
d Estoy agotado `5`
e Me duele la cabeza `6`
f Me duelen las piernas `3`

1. Es conveniente beber agua, salir un poco al aire libre y, si no se te pasa, tomar una aspirina.
2. Debes ponerte una bolsa de agua caliente, tomar una infusión y no comer nada durante unas horas.
3. Puedes ponerte esta crema por la noche y poner las piernas en alto.
4. Lo mejor es quedarse en la cama todo el día, beber mucha agua y dormir mucho.
5. Tienes que dejar de trabajar, dormir o relajarte unas horas y tomar unas vitaminas.
6. Es necesario hacer dieta, beber mucho líquido y, si no se te pasa, tomar un medicamento.

14 Ahora, escribe tú consejos para estos problemas.

1 Tu mejor amigo tiene gripe.
Quedarse la cama y tiene muchas tien relaxjado.

2 Tu compañera está muy nerviosa por el examen de Física.
Dormiendue tien

3 Tu hermano está muy mareado.
Como las meditaciones y bebo much agua.

15 Pon detrás de cada frase *tú* o *usted*.

1 ¿Qué te pongo? *Tú*
2 ¿Tiene cursos de verano? Usted
3 ¿Desea alguna cosa más? Usted
4 ¿En qué puedo ayudarte? Usted
5 Debe beber mucha agua. Usted
6 ¿Qué es lo que le pasa? Usted
7 ¿Me puedes decir qué hora es? Tú
8 ¿Puede repetir, por favor? Usted

16 Cambia estas frases a *usted* y *ustedes*.

1 ● Debes dejar de tomar tanto azúcar.
  ■ Sí, tienes razón.
  ● _Debe dejar de tomar tanto azúcar usted._
  ■ _Sí, tiene razón._

2 ● Tenéis que tomar aire fresco.
  ■ Sí, podemos salir al patio. ¿Vienes con nosotros?
  ● _Tienen que tomar aire fresco._
  ■ _Sí, podemos salir al patio, ¿Vienen con nosotros?_ 问题无法

3 ● Pero, Hugo, ¿qué te pasa?
  ■ Pues que me duele la cabeza, ¿tienes una aspirina?
  ● _Pero, Hugo, ¿Qué su pasa?_
  ■ _Pues que me duele la cabeza. ¿Tiene una aspirina?_

4 ● Estáis muy tensos últimamente.
  ■ Es que tenemos muchos exámenes y proyectos. ¿Vosotros no?
  ● _Están muy tensos últimamente._
  ■ _Es que tenemos muchos exámenes y proyectos._

5 ● ¿Puedes darme el libro? _¿ustedes no?_
  ■ Sí, ¿y tú puedes darme el cuaderno, por favor?
  ● _¿Pueden darme el libro?_
  ■ _Sí. ¿Y usted puede darme el cuaderno, por favor?_

6 ● ¿Os quedáis en casa esta noche?
  ■ No, por fin, vamos a la fiesta, ¿vienes con nosotros?
  ● _¿Os quedan en casa esta noche?_
  ■ _Si, por fin vamos a la fiesta. ¿Vienen con nosotros?_

7 ● ¿Te pones la crema una o dos veces al día?
  ■ Dos veces, una por la mañana y otra por la noche. ¿Tú no la usas?
  ● _¿Su pone la crema una o dos veces al día?_
  ■ _Dos veces, una por la mañana y otra por la noche. ¿Usted no la usa?_

8 ● ¿Te encuentras mal?
  ■ Sí, estoy muy mareada. ¿Me traes un vaso de agua, por favor?
  ● _¿Su encuentra mal?_
  ■ _Si, estoy muy mareada. ¿Me trae un vaso de agua, por favor?_

Vida sana

17 Ordena este artículo en cada uno de estos apartados. Primero, añade los conectores al comienzo de los párrafos.

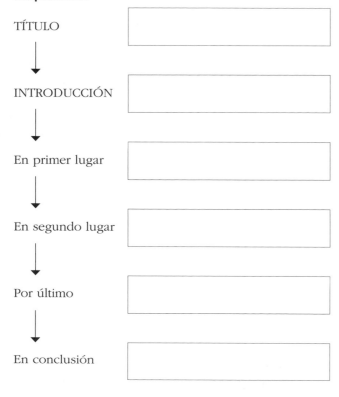

TÍTULO

INTRODUCCIÓN

En primer lugar

En segundo lugar

Por último

En conclusión

18 Une estas frases con uno de estos conectores.

ya que ● por eso ● es decir ● en resumen ● así como ● además

1 A mi hermano le duele mucho la cabeza, _____ no ha ido al instituto hoy.
2 El ejercicio es muy importante, _____ comer bien y estar relajado.
3 Hay que beber al menos 10 vasos al día de agua, _____, unos dos litros.
4 La fruta es muy sana, _____ tiene muchas vitaminas.
5 _____ de la comida, también es muy importante dormir al menos ocho horas.
6 Sí, son muchas cosas, pero _____, lo que debe hacer es: relajaciones y ejercicio.

19 Elige uno de los dos conectores en las siguientes frases.

1 **Y por último / Ya que** quiero decir que para una vida sana hay que cuidar el cuerpo y la mente.
2 Por una parte, el ejercicio es importante, pero **por otra parte / así como** hay que tener cuidado de cómo se practica.
3 Como despacio y **además / porque** tengo una alimentación muy variada.
4 Estoy mucho tiempo sentada, **por eso / además** correr es tan importante para mí.
5 Yo no hago mucho deporte **porque / igualmente** voy todos los días a la universidad en bicicleta.
6 Mi problema es que trabajo mucho **y / es que** duermo muy pocas horas.

A _____, los padres deben ser un modelo para sus hijos y utilizar el celular con respeto, y no buscar la excusa de que lo utilizan por trabajo. Las normas deben servir para todos.

B _____, las nuevas tecnologías y, entre ellas, los celulares son un magnífico medio de comunicación. Tienen muchísimas ventajas, pero debemos aprender una serie de normas para utilizarlos de una forma segura y educada.

C El celular se ha convertido en el compañero más fiel de los adolescentes. Su uso frecuente ocasiona muchos conflictos entre padres e hijos. Los padres piensan que sus hijos usan demasiado el celular y los hijos opinan que tienen demasiadas restricciones para usarlo. Hay tres cuestiones a tener en cuenta: seguridad, respeto y ejemplo.

D Los adolescentes y el celular (de Juan Morales)

E _____ los adolescentes pueden hacer un buen uso del celular si muestran educación y aprenden que hay veces que hay que apagarlo. Si se acepta que el celular debe apagarse en espacios como el cine o el teatro, se tiene también que aprender que hay momentos en los que, aunque no existe ninguna prohibición, su uso es una muestra de mala educación, por ejemplo, a la hora de comer o cuando te está

hablando una persona. Es muy aconsejable apagar el celular durante la noche, porque se necesita dormir y descansar.

F _____ está la seguridad. No se debe enviar nunca información íntima a través del celular. No hay que olvidar que toda la información puede llegar a ser pública. Y, por supuesto, no se debe contestar a llamadas o mensajes de desconocidos. Además, si se reciben llamadas o mensajes de desconocidos, es aconsejable comunicárselo a los padres.

20 ¿Qué debes hacer para estudiar de una forma eficaz? Elige cuatro actividades y construye frases con *hay que*, *se tiene que* y *se debe* + infinitivo.

comer bien ● dormir al menos ocho horas ● hacer muchos descansos ● comer chocolate
tomar el aire ● escuchar música ● beber mucha agua ● estar sentado
compartir con los compañeros ● buscar en internet ● repasar notas ● leer libros

_____
_____
_____
_____

21 Contesta este test para saber si llevas una vida sana. Después, puedes comentar las respuestas con un compañero.

¿Llevas una vida sana?

1 ¿Qué es lo primero que bebes cuando te levantas?
a) ☐ Un café.
b) ☐ Un vaso de agua.
c) ☐ Un té.
d) ☐ Otra opción.

2 ¿Qué desayunas?
a) ☐ Casi nada.
b) ☐ Algo dulce.
c) ☐ Cereales o pan con queso.
d) ☐ Otra opción.

3 ¿Cuánta agua bebes al día?
a) ☐ Unos dos litros.
b) ☐ Menos de dos litros.
c) ☐ Casi nunca me acuerdo de beber agua.
d) ☐ Otra opción.

4 ¿Cuánto andas al día?
a) ☐ No ando, porque voy siempre en coche.
b) ☐ Solo los fines de semana.
c) ☐ Intento ir andando a mi centro educativo y al centro de la ciudad.
d) ☐ Otra opción.

5 ¿Consumes comida rápida?
a) ☐ De vez en cuando.
b) ☐ Dos o tres veces por semana.
c) ☐ Siempre, me encanta.
d) ☐ Otra opción.

6 ¿Cuándo practicas deporte?
a) ☐ Una vez a la semana.
b) ☐ Tres veces a la semana.
c) ☐ Una vez al mes.
d) ☐ Otra opción.

7 ¿Cuántas horas estás al aire libre?
a) ☐ Más de tres horas.
b) ☐ En invierno ninguna porque hace frío.
c) ☐ Menos de una, porque voy en coche de casa al trabajo y del trabajo a casa.
d) ☐ Otra opción.

8 ¿Cuántas horas duermes al día?
a) ☐ Más de diez horas.
b) ☐ Unas ocho horas.
c) ☐ Menos de siete horas.
d) ☐ Otra opción.

Soluciones: Estas letras corresponden con las opciones más sanas: 1 b; 2 c; 3 a; 4 c; 5 a; 6 b; 7 a; 8 b)

22 ¿Recuerdas cuáles de estas palabras de la unidad llevan tilde? Escríbelas correctamente.

1 estomago
2 rodilla
3 cabeza
4 meditacion
5 cuidado
6 enfermo
7 mareado
8 azucar

9 infusion
10 medicina
11 indigena
12 naturista
13 ademas
14 tambien
15 resumen
16 volcan

17 beisbol
18 lago
19 tropical
20 jaguar
21 juventud
22 tesoro
23 ejercicio
24 salud

Lengua y comunicación

Marca la respuesta correcta.

1 Tengo ____ grandes y estos guantes me quedan pequeños.
a) ☐ las piernas
b) ☐ los dientes
c) ☐ las manos

2 He comido mucho y tengo ____ muy lleno.
a) ☐ el estómago
b) ☐ el cuello
c) ☐ el hombro

3 ● Estás un poco tenso, ¿no?
■ No, no; estoy muy ____ .
a) ☐ relajado
b) ☐ enfermo
c) ☐ sentado

4 En la clase de teatro tenemos que estar ____ mucho tiempo.
a) ☐ a pie
b) ☐ de pies
c) ☐ de pie

5 Me gusta estar mucho tiempo ____ aire libre.
a) ☐ al
b) ☐ por el
c) ☐ con el

6 ● ¿Qué tal?
■ No muy bien, ____ bastante mareado.
a) ☐ soy
b) ☐ tengo
c) ☐ estoy

7 ¡Uf! He corrido veinte kilómetros y estoy ____ .
a) ☐ estresado
b) ☐ agotado
c) ☐ nervioso

8 ● Me duelen mucho ____ .
■ Pues debes cambiar de zapatos.
a) ☐ las manos
b) ☐ los dientes
c) ☐ los pies

9 Llevo dos horas tocando el piano y me duelen mucho los ____ .
a) ☐ los dientes
b) ☐ los ojos
c) ☐ los dedos.

10 A mi hermana ____ mucho las piernas.
a) ☐ le duelen
b) ☐ se duelen
c) ☐ les duelen

11 No puedo respirar, tengo frío y me duele la cabeza. Creo que tengo ____ .
a) ☐ un catarro
b) ☐ una diarrea
c) ☐ algo roto

12 Es conveniente ____ estas pastillas contra la tos.
a) ☐ tomando
b) ☐ de tomar
c) ☐ tomar

13 Contra la fiebre, ____ es quedarse en la cama.
a) ☐ mejor
b) ☐ lo mejor
c) ☐ el mejor

14 Señor Blanco, está muy nervioso últimamente. Usted ____ dejar de tomar café.
a) ☐ debes
b) ☐ debéis
c) ☐ debe

15 En Argentina se usa ____ en lugar de ____ .
a) ☐ usted / vos
b) ☐ vos / os
c) ☐ vos / tú

16 ● Estás mucho tiempo sentada…
■ Sí, es verdad. ____ hacer más ejercicio.
a) ☐ Tengo
b) ☐ Tengo que
c) ☐ Tiene que

17 Juega al tenis, al golf y ____ practica yoga.
a) ☐ además
b) ☐ en resumen
c) ☐ por eso

18 Me voy a casa ____ me encuentro mal.
a) ☐ en resumen
b) ☐ porque
c) ☐ además

19 Creo que tengo fiebre, ____ tengo tanto calor.
a) ☐ es decir
b) ☐ igualmente
c) ☐ por eso

20 El partido de baloncesto es el 23, ____ , el próximo sábado.
a) ☐ es decir
b) ☐ por otra parte
c) ☐ igualmente

Total: ____ / 10 puntos

Destrezas

 1. COMPRENSIÓN ESCRITA

1 Lee el texto y marca (X) cuál es la intención que tiene. (___ / 2 puntos)

1 ☐ Informar sobre los trastornos alimenticios
2 ☐ Anunciar un tipo de tratamiento médico
3 ☐ Denunciar los hábitos de los chicos jóvenes en las comidas

2 Coloca estas frases en la columna correspondiente. (___ / 8 puntos)

	trastornos en general	anorexia	bulimia	obesidad
1 Hay más mujeres que hombres con esta enfermedad.				
2 La enfermedad puede tener causas genéticas.				
3 Ocurre más entre la gente joven.				
4 Se pierden kilos.				
5 Todavía se sigue investigando sobre las causas.				
6 Se come mucho de una vez.				
7 En algunas profesiones hay que tener un cuidado especial.				
8 Si se adelgaza un poco, es bueno.				

Los trastornos alimenticios VALENTINA ETXENIKE

Son varios los trastornos alimenticios que existen, y los factores que los producen son biológicos, emocionales, psicológicos, interpersonales y sociales. Los científicos e investigadores están todavía aprendiendo sobre las causas subyacentes de estas perturbaciones en un terreno emocional y físico. A menudo, suelen presentarse en edades comprendidas entre los 12 y los 35 años. Entre otros trastornos alimenticios encontramos la anorexia, la bulimia y la obesidad.

La anorexia

Se estima que existe entre un 0,5 % y un 3 % en el grupo de adolescentes y mujeres jóvenes, y es que el mayor número de casos se producen en mujeres, con una distribución, aproximadamente de nueve mujeres y un hombre de cada diez. Estas cifras aumentan al doble cuando se incluyen adolescentes «sanas» con conductas alimentarias anormales o con una preocupación anormal sobre el peso corporal. Las bailarinas, las atletas y las gimnastas constituyen, además, un grupo de alto riesgo para desarrollar la enferme-

dad. En las últimas décadas se ha visto un aumento importante en la incidencia de la anorexia nerviosa en la población adolescente. Los trastornos del apetito son más prevalentes en las sociedades occidentales industrializadas y en niveles socioeconómicos medios y altos, aunque pueden darse en todas las clases sociales.

La bulimia

La bulimia se define como una serie de episodios incontrolados de comer en exceso (atracones) seguidos normalmente de purgas (autoinducción del vómito), mal uso de laxantes, enemas o medicamentos que producen un incremento en la producción de ayuno o en un ejercicio excesivo para controlar el peso. Los atracones, en esta situación, se definen como comer cantidades mucho más grandes de alimentos de las que se consumen normalmente en un período corto de tiempo (normalmente, menos de dos horas). Los atracones de comida se producen al menos dos veces a la semana durante tres meses, y pueden producirse incluso varias veces al día.

La obesidad

La obesidad es una enfermedad que se caracteriza por un aumento de la masa grasa y, en consecuencia, por un aumento de peso. Es decir, existe un aumento de las reservas energéticas del organismo en forma de grasa. Se considera obesa a una persona con un índice de masa corporal igual o superior a 30 kg/m². Para poder valorar la obesidad se deben tener en cuenta también los posibles factores genéticos; hay que investigar las causas de la enfermedad y comprobar la posible existencia de complicaciones y enfermedades asociadas. El tratamiento siempre debe ser personalizado y adaptado a las características del enfermo, pero está demostrado que con una pérdida moderada de peso corporal (5-10%) se puede conseguir una notable mejoría.

Extraído de www.wikisaber.es

Total: _____ / 10 puntos

2. PRODUCCIÓN ESCRITA

(100 palabras, aproximadamente)

Escribe una entrada del blog con el título: «Lo que yo hago para llevar una vida sana».

Incluye:

- tus hábitos alimenticios
- el tipo de ejercicio que realizas
- lo que haces para relajarte y cuidar tu mente
- otras rutinas o hábitos

▶ EVALUACIÓN DE TU PRODUCCIÓN ESCRITA

- **Lengua** (___ / 4 puntos)
- Léxico: estados físicos, mentales y de ánimo
- Gramática: presente de indicativo, adverbios de frecuencia

- **Contenido** (___ / 4 puntos)
- Los hábitos alimenticios
- El ejercicio
- El cuidado de la mente
- Otras rutinas o hábitos

- **Formato: entrada de blog** (___ / 2 puntos)
- ¿Es personal, informal, incluyes el nombre?
- ¿Utilizas conectores para unir las frases de los párrafos?

Total: _____ / 10 puntos

3. PRODUCCIÓN Y COMPRENSIÓN ORAL (interacción)

(Mínimo, dos minutos)

Con un compañero, imagina que los dos os encontráis mal: os lo contáis y os dais consejos.

Incluye:

- cómo os sentís
- por qué creéis que os sentís así
- dar consejos sobre lo que te cuenta tu compañero
- llegar a una conclusión de lo que vais a hacer

▶ EVALUACIÓN DE TU PRODUCCIÓN ORAL Y DE LA COMPRENSIÓN ORAL DE TU COMPAÑERO

- **Lengua** (___ / 4 puntos)
- Léxico: expresar malestar
- Gramática: verbo *doler, estar* + adjetivo y *tener* + sustantivo

- **Contenido** (___ / 4 puntos)
- Expresar estados de ánimo
- Preguntar por el estado de tu compañero
- Dar y recibir consejos
- Tomar una decisión para los problemas

- **Expresión** (___ / 2 puntos)
- Hablas con fluidez
- Tienes una buena pronunciación y entonación

- **Interacción** (___ / 10 puntos)
- Comprendes lo que dice tu compañero
- Respondes y reaccionas de forma coherente a lo que dice tu compañero

Total: _____ / 20 puntos

Total: _____ / 50 puntos

Mi progreso

Valora tu progreso después de esta unidad.

Mis habilidades

- Hablar, entender y escribir sobre el cuerpo humano, los problemas de salud y la vida sana
- Escribir y entender una entrada de blog y un artículo

Mis conocimientos

- Léxico relacionado con el cuerpo humano, la salud, las enfermedades y los buenos hábitos
- Dar consejos y ofrecer remedios
- Expresar la obligación
- Los conectores textuales
- El uso de la tilde
- Información sobre Nicaragua y la medicina natural

Soy más consciente:

- De la importancia de la salud
- De valorar el cuerpo y la vida
- De la importancia de los buenos hábitos, el ejercicio, la comida y la relajación

 Bien   Adecuado   Mal

14 Comunicación

La prensa escrita

1 Completa la tabla con las características de la prensa en papel y digital.

Prensa en papel	Prensa digital
	Lectura en pantalla
Sin batería ni cables	
	Se pueden incluir audios y vídeo
No hace falta conexión a internet	

2 Coloca las siguientes palabras en la columna correspondiente. Puede haber varias opciones.

accidente ● empresas ● teatro ● partido ● boda ● crimen ● elecciones ● extranjero ● baile
catástrofe natural ● campeonato ● descubrimiento ● mercado ● música ● investigación ● fiesta popular

Sucesos	Sociedad	Ciencia	Cultura	Política nacional e internacional	Deportes	Economía

3 ¿Qué tipo de información encuentras en estas secciones del periódico?

1 Tecnología _____
2 Internacional _____
3 El tiempo _____
4 Opinión _____
5 Cartelera _____
6 Bolsa _____

4 Completa esta tabla.

verbo	sustantivo	participio
finalizar	*el final*	*finalizado*
desaparecer		
	el aprendizaje	
crear		
	el estreno	
	el accidente	

5 Convierte estos párrafos en titulares.

1 _____

Existe actualmente una campaña a la que muchos países se están uniendo. Se trata de prohibir las actuaciones de animales salvajes en los circos. Se considera una gran injusticia.

2 _____

Ayer tuvo lugar una manifestación masiva de estudiantes. Se encontraron en la Plaza Mayor después de andar más de una hora por las principales calles de la ciudad. La manifestación se hizo en silencio y sin ningún tipo de problemas. Terminó a las nueve de la noche.

3 _____

Un estudiante de bachillerato ha creado una nueva aplicación para el teléfono móvil. Por cuestiones de privacidad no se han mencionado datos personales sobre el estudiante, pero se sabe que tiene unos diecisiete años y que en su cuenta corriente están entrando millones de dólares.

4 _____

Ya es un hecho reconocido por los científicos que la energía solar es la más barata y segura. Ahora se trata de convencer a los gobiernos, porque estos tienen que apoyar, investigar e invertir en esta energía.

6 Lee esta entrada de blog y completa esta información.

1 Tradicionalmente, los colores de la prensa han sido _____.

2 La prensa amarilla es _____.

3 El término *prensa amarilla* apareció _____.

4 La prensa rosa es _____.

HOME   ACERCA DE   CONTACTA

Teresa Belmonte
COMUNICANDO

La prensa y los colores

Es curioso que durante muchos años la característica principal de la prensa fue la falta de color, es decir, el uso del blanco y negro. Poco a poco, los colores se fueron incorporando en los anuncios y las portadas y, aunque la mayoría de la información sigue siendo en blanco y negro, hoy en día es raro leer un periódico sin color en alguna de sus páginas. También hay dos colores que se asocian a la prensa: el amarillo y el rosa.

¿Has oído hablar de la prensa amarilla? Es un término que se utiliza mucho en inglés, pero que cada vez se oye más también en español. Se trata de la prensa sensacionalista, aquella que su objetivo principal no es informar, sino vender, y para ello exagera y se inclina por noticias sobre catástrofes naturales, accidentes, crímenes, etc. El origen del término *prensa amarilla* viene de los EE. UU. , donde, al finalizar el s. XIX, tuvo lugar una batalla periodística entre el diario *New York World,* de Joseph Pulitzer y el *New York Journal,* de William Randolph Hearst. En los dos diarios había un personaje de cómic muy popular: *The Yellow Kid.*

Por otra parte, nos encontramos con la prensa rosa, también llamada prensa del corazón, porque dedica la mayor parte de sus páginas a informarnos de bodas, compromisos, divorcios, nuevas parejas, nacimientos, etc., sobre personajes famosos. Tradicionalmente, en los periódicos ha existido siempre una sección dedicada a los actos sociales donde se informaba de estos acontecimientos, pero estas revistas se dedican en exclusiva a estos temas. En los últimos años, este tipo de prensa ha invadido la televisión, donde actualmente existen muchos programas dedicados a los «temas del corazón». Este tipo de prensa ofrece una visión de la sociedad llena de lujo y con grandes dosis de optimismo. Ignora los problemas sociales y no existe un compromiso moral. Parece que el deseo de sus lectores es imitar ese estilo de vida.

---

7 ¿Qué tipos de revistas lees tú?

cocina • jardinería • medicina • tecnología • decoración
literatura • salud • manualidades • educación
automovilismo • programación • televisión • corazón
música • arte • videojuegos

8 Busca a compañeros de la clase que leen el mismo tipo de revistas y comentad qué es lo que más os gusta de ellas.

9 Elige el tiempo verbal correcto.

1 En el año 2012 **han tenido / tuvieron** lugar los Juegos Olímpicos de Londres.

2 Este año mis padres y yo **hemos hecho / hicimos** un viaje a Puerto Rico.

3 Ayer **ha habido / hubo** un concierto de rock en la Plaza Mayor.

4 El jueves pasado **se ha estrenado / se estrenó** la última película de Benicio del Toro.

5 Esta semana **ha habido / hubo** muchas tormentas en la isla.

6 Este mes **se ha iniciado / se inició** un proyecto en la ciudad para utilizar menos bolsas de plástico.

7 El día de mi cumpleaños **he ido / fui** con mis amigos a la piscina.

10 Completa este texto con el pretérito perfecto o el pretérito indefinido.

ESTUDIANTES CONTRA EL PLÁSTICO

Primera reunión del grupo Adiós al Plástico con las autoridades.

Esta mañana (1) _____ (tener) lugar la primera reunión de estudiantes del grupo Adiós al Plástico con las autoridades de la ciudad. Los estudiantes (2) _____ (presentar) hoy los resultados del proyecto que (3) _____ (empezar) el año pasado. Se trata de una propuesta para terminar con las bolsas de plástico. Ayer, un día antes de la reunión, este grupo (4) _____ (participar) en un programa de radio para explicar su propuesta. «(5) _____ (tener, nosotros) la idea hace dos años en la clase de ciencias» y «Al principio del proyecto (6) _____ (encontrar) muchos problemas», fueron algunas de sus frases en el programa.

Además, el grupo (7) _____ (reunir) más de mil firmas, que también (8) _____ (entregar) hoy en la reunión.

¡Les deseamos mucho éxito!

La radio y la televisión

11 Haz una cruz en la opción más apropiada para ti y compara tus respuestas con las de un compañero.

	muchas veces	pocas veces	nunca
1 Escucho música en la radio.	☐	☐	☐
2 Escucho las noticias en la radio.	☐	☐	☐
3 Escucho programas culturales en la radio.	☐	☐	☐
4 Escucho la radio en casa.	☐	☐	☐
5 Veo series en la televisión.	☐	☐	☐
6 Veo concursos en la televisión.	☐	☐	☐
7 Veo programas musicales en la televisión.	☐	☐	☐
8 Veo películas en la televisión.	☐	☐	☐

12 Lee estas dos noticias y contesta a las preguntas.

A

OLA DE FRÍO

El frío y la nieve llegan con gran fuerza

La anunciada ola de frío polar ha comenzado este martes en el norte del país. Hay más de cuatro provincias con grandes cantidades de nieve y temperaturas extremadamente bajas. Además, la Agencia Estatal de Meteorología (Aemet) ha emitido otros avisos por nieve, fuertes vientos y lluvias para los próximos días.

1 ¿Qué? _____
2 ¿Dónde? _____
3 ¿Cuándo? _____

B

El éxito del cómic

Inauguración de la nueva feria del cómic con gran asistencia de público

El sábado pasado se inauguró la Feria del Cómic en nuestra ciudad. Los protagonistas fueron, sin duda, los participantes, que han aumentado significativamente respecto al año pasado. Una vez más, pudimos disfrutar de esta feria en los salones de la Universidad Central. Es indudable que el cómic, también llamado novela gráfica, es cada vez más popular entre los lectores adultos.

1 ¿Qué? _____
2 ¿Dónde? _____
3 ¿Cuándo? _____

13 (38) Escucha esta noticia en la radio y contesta a estas preguntas.

1 ¿Quién? _____   3 ¿Dónde? _____
2 ¿Cuándo? _____   4 ¿Por qué? _____

14 Escribe si ya has hecho hoy estas cosas o todavía no.

1 Ducharse. *Ya me he duchado hoy. / Todavía no me he duchado hoy.*

2 Desayunar. _____

3 Comer. _____

4 Leer el periódico. _____

5 Hacer ejercicio. _____

6 Hacer los deberes. _____

7 Beber agua. _____

15 Reacciona ante estas noticias con *qué* + adjetivo / adverbio / sustantivo o *qué* + sustantivo + *tan / más* + adjetivo.

1 Mañana tenemos vientos de más de 100 kilómetros por hora.
   ¡Qué miedo! ¡Qué vientos más peligrosos!

2 Salvados los tres excursionistas perdidos en las montañas.
   _____

3 Jóvenes indígenas de México cantan en sus lenguas a ritmo de rock y hip hop.
   _____

4 Campaña contra los vídeos violentos en Facebook.
   _____

5 Seleccionado nuestro equipo local para la final de baloncesto.
   _____

6 Accidente de dos autobuses en la autopista.
   _____

7 Come 120 hamburguesas en 12 minutos.
   _____

8 Un niño encuentra dos millones de euros en una mochila en un parque.
   _____

16 ¿Qué ves en la televisión? Ordénalo por frecuencia (de más a menos).

Publicidad   Noticias   Concursos

Series

Programas de moda

Películas

Documentales

Programas de música

+

_____

_____

_____

_____

_____

_____

−

17 Lee esta entrevista a un actor de telenovelas y añade las preguntas.

Pregunta 1: _____

Denise
13/11/2015 - 17:01h

Soy gallego, de la provincia de Lugo, pero a los dos años vinimos toda la familia a vivir a Madrid. A mí, al principio, me costó mucho adaptarme a la gran ciudad y perder a todos mis amigos, pero, poco a poco, me fui acostumbrando y ahora no me imagino vivir en otro sitio.

Pregunta 2: _____

Denise
13/11/2015 - 17:05h

No, no; no fui nunca a una escuela de teatro. En realidad, yo estudié Ingeniería Mecánica, pero nunca he trabajado como ingeniero. Siempre me han gustado las cámaras.

Pregunta 3: _____

Denise
13/11/2015 - 17:08h

Pues tuve mucha suerte. La verdad es que nunca me imaginé dedicarme a esta profesión, pero un día acompañé a un amigo a un *casting* para un anuncio de ropa y cuando me vieron sentado en la sala ¡me eligieron a mí!

Pregunta 4: _____

Denise
13/11/2015 - 17:01h

Con todas, de verdad, y eso que he trabajado con muchas, pero no tengo una favorita, todas mis compañeras son estupendas y ha sido un verdadero placer trabajar con ellas.

Pregunta 5: _____

Denise
13/11/2015 - 17:13h

En verano voy a rodar una comedia romántica. Trata de dos chicos jóvenes que se conocen en las vacaciones y después se tienen que separar al terminar el verano para ir a sus respectivas ciudades. Bueno, no cuento más. La tenéis que ver. Estoy muy ilusionado porque es mi primera película para el cine y espero que no la última.

Pregunta 6: _____

Denise
13/11/2015 - 17:17h

Creo que como el de todos los actores. Un día, hacer una buena película, tener mucho éxito, ganar algún premio y hacerme muy muy famoso…

Mensajes escritos

18 Cambia este correo electrónico por una carta formal dirigida a los padres de un compañero de colegio y por un mensaje de móvil a tu mejor amigo.

> **Mensaje nuevo**
>
> Querida Victoria:
> Una vez más, muchísimas gracias por tu invitación. Me lo pasé fenomenal en tu fiesta y me encantaron tus amigos.
> Nos vemos aquí en Sevilla en marzo. Yo tengo que ir a la universidad, pero voy a buscar tiempo para estar contigo.
> Te envío en un anexo las fotos de la fiesta. Algunas son superdivertidas.
> Besos y recuerdos.
> Patricia

Carta formal

Mensaje

19 Lee este artículo sobre la intimidad en las redes sociales y relaciona una frase con cada párrafo.

1 Los adolescentes utilizan varias redes sociales y en ellas tienen contacto con muchas personas, incluso con algunas que no conocen. _____

2 Es muy importante tener cuidado con las condiciones legales, la información que compartimos y con quién lo hacemos. _____

3 Nuestra actividad en internet está controlada por otros. ¡Nos observan! _____

4 Cuando entramos en nuevas redes no nos preocupamos de informarnos de nuestros derechos y de los aspectos legales. _____

5 Cada vez con más frecuencia las personas exponen su vida privada en internet. _____

6 Se debe pensar en el futuro, en que la información en internet se queda ahí, sin nuestro control. _____

Internet y la vida privada

SEBASTIÁN RODRÍGUEZ

[A] *Maleta, preparada. ¡¡¡Allá voy, Puerto Rico!!!!, Fiesta de cumpleaños de Manel, ¡guapo! Con mi hermana en la playa.* Encontramos este tipo de mensajes acompañados de fotos con mucha frecuencia en las redes sociales. Seguro que tú lo has hecho alguna vez. En ellos proporcionamos información sobre nuestras vidas privadas sin ningún tipo de filtro.

[B] Las últimas estadísticas dicen que el 92 % de los jóvenes de 16 a 24 años tienen una o varias cuentas activas en Twitter, Facebook, Tuenti o Instagram. «Muchos adolescentes aceptan la mayoría de las solicitudes que reciben (también de desconocidos) a través de las redes sociales», afirma Dolores Vázquez, psicóloga especializada en cuestiones de tecnología.

[C] Millones de personas pueden tener acceso directo a nuestra información. Y, además, el hecho de utilizar estas redes nos crea un perfil de usuario según nuestros hábitos de navegación. Por ejemplo, por el uso de *cookies*, si buscas unos pantalones para comprártelos *on-line*, enseguida recibes publicidad de otras tiendas *on-line*.

[D] Muchas veces aceptamos una serie de condiciones legales sin leer en absoluto los textos. De esta forma, aceptamos compartir datos, proporcionar el lugar donde nos encontramos, o permitir el acceso a fotos sin darnos cuenta.

[E] También se sabe que los departamentos de Recursos Humanos buscan estas informaciones en internet antes de decidirse por un candidato. Fotos que publicas hoy de una fiesta con tus amigos pueden darte problemas en el futuro, mientras buscas trabajo.

[F] En conclusión, debemos proteger nuestra vida personal, tener cuidado con lo que compartimos y a quién aceptamos y, por supuesto, leer todas las condiciones antes de aceptarlas.

20 Coloca los signos de puntuación en el siguiente chat.

> Hola
> Hola Sonia cómo estás
> Muy bien qué tal tu nuevo instituto
> Me gusta mucho pero os echo de menos a todos
> Oye el sábado que viene es mi cumpleaños y hago una fiesta quieres venir
> Qué bien por supuesto que voy
> Vale te mando un mensaje con la hora exacta todavía no lo he decidido
> Fenomenal
> Entonces nos vemos el sábado
> Adiós

Lengua y comunicación

Marca la respuesta correcta.

1 En la sección de sucesos se escribe sobre ____.
a) ☐ finanzas y empresas
b) ☐ arte y música
c) ☐ accidentes y catástrofes naturales

2 La prensa puede ser ____ papel o digital.
a) ☐ en
b) ☐ a
c) ☐ con

3 «¡Grave accidente de trenes!» Es ____ de un periódico.
a) ☐ un titular
b) ☐ una sección
c) ☐ una característica

4 ¿ ____ alguna vez en Puerto Rico?
a) ☐ Estás
b) ☐ Has estado
c) ☐ Fuiste

5 Hoy ____ una noticia muy interesante en el periódico.
a) ☐ leo
b) ☐ leyendo
c) ☐ he leído

6 Ayer ____ lugar un concierto de salsa en el auditorio.
a) ☐ tiene
b) ☐ ha tenido
c) ☐ tuvo

7 ____ nunca a una feria de cómics.
a) ☐ No he ido
b) ☐ He ido
c) ☐ Fui

8 No hay que tener miedo, ____ ha pasado el peligro del huracán.
a) ☐ ya
b) ☐ todavía
c) ☐ todavía no

9 Los jugadores ____ han llegado al campo. Están en el autobús.
a) ☐ ya
b) ☐ todavía
c) ☐ todavía no

10 Mi madre ____ ha escrito el artículo para su periódico, pero dice que lo va a hacer esta noche.
a) ☐ ya
b) ☐ todavía
c) ☐ todavía no

11 El día de su cumpleaños, Gabriela ____ una fiesta con todos sus amigos.
a) ☐ hicimos
b) ☐ hice
c) ☐ hizo

12 ¿ ____ el número de víctimas de malaria ha descendido por primera vez?
a) ☐ Te has enterado de que
b) ☐ Te has enterado de
c) ☐ Sabes

13 Hay muchas víctimas en el accidente del autobús.
a) ☐ ¡Qué interesante!
b) ☐ ¡Qué horror!
c) ☐ ¡Qué maravilla!

14 ¡Qué tiempo ____ horrible! ¡Está lloviendo desde ayer!
a) ☐ como
b) ☐ tanto
c) ☐ tan

15 Mis padres ____ en Puerto Rico de 1990 a 1998.
a) ☐ vivieron
b) ☐ han vivido
c) ☐ viven

16 Despedirse es lo mismo que ____.
a) ☐ dar las gracias
b) ☐ decir hola
c) ☐ decir adiós

17 Al comienzo de una carta formal se dice: ____.
a) ☐ ¡Hola!
b) ☐ Estimado señor López
c) ☐ Querido Juan:

18 Llevo todos los documentos que usted ____.
a) ☐ solicitó
b) ☐ solicitaste
c) ☐ solicitaron

19 ____ hay muchas agencias informativas que son fiables, otras no lo son.
a) ☐ Aunque
b) ☐ Sin embargo
c) ☐ Además

20 Los ____ sirven para hacer una aclaración.
a) ☐ signos de interrogación
b) ☐ signos de admiración
c) ☐ paréntesis

Total: _____ / 10 puntos

Destrezas

 ### 1. COMPRENSIÓN ESCRITA

1 Lee y contesta a las preguntas. (__ / 3 puntos)

a ¿Cuál es el programa que solo se emite el fin de semana? _____

b ¿Qué programa dura sesenta minutos? _____

c ¿Qué programa es un concurso? _____

2 Completa esta tabla con el nombre del programa al que corresponde la información. Atención, sobran tres. (__ / 7 puntos)

Un programa…	Nombre
sobre teatro	
para aprender a llevar una vida sana	
sobre personas con discapacidad	
ideal para niños	
para aprender a escribir mejor	
donde se analiza lo que está pasando	
para los que les gustan las películas	

INICIO   **PROGRAMACIÓN**   DOCUMENTALES   NUEVOS NEGOCIOS

Programación de la A a la Z

CONTRA VIENTO Y MAREA

[martes 6:30pm] Revista semanal informativa que resalta el dinamismo de la comunidad de personas con discapacidad. En cada edición exploramos los retos que enfrenta esta comunidad y los servicios disponibles para ella.

CHUCHO AVELLANET

[jueves 9pm] Bohemia, baladas y buen humor con Chucho y sus amigos.

EN LA PUNTA DE LA LENGUA

[martes 10am] Si te gusta la literatura, si te apasiona el arte, seguro que te gusta este programa, donde poetas, escritores y artistas confiesan los secretos del quehacer creativo.

¿QUIÉN SABE MÁS?

[lunes a viernes 5:30pm] Carlos Esteban Fonseca anima este programa de juegos donde tu conocimiento puede ser la ficha ganadora. Filmado en un estudio virtual, ¿QSM? es color, entretenimiento, ánimo y cultura.

PUERTO RICO Y SU CINE

[domingo 6pm] Edgardo Huertas nos acompaña en esta travesía a través del desarrollo del cine en nuestro país. En este programa puedes ver las nuevas tendencias y cosechas de nuestros jóvenes cineastas, como también disfrutar de filmes de la época dorada del cine en Puerto Rico. ¡Fascinante!

ENFOQUE, Noticias 24/7

[martes 9pm] [miércoles 7pm] [viernes 6pm] Enfoque Noticias 24/7 es un programa de análisis de una hora de duración.

ESTUDIO ACTORAL

[lunes 9pm] [sábado 6pm] Dean Zayas conduce este interesante programa de entrevistas, donde vas a conocer a los artistas que trabajan en y detrás de la pantalla y del escenario.

HABLEMOS DE SALUD

[miércoles 6pm] Carmen Jovet y sus invitados nos llevan por el camino del bienestar, compartiendo valiosa información y conocimiento.

LA CASA DE MARÍA CHUZEMA

[lunes a viernes 6am] [sábado 6am] ¡En Lilipún es fácil y divertido aprender! Porque hay cuentos, música y amigos con buenos valores.

UNO A UNO

[miércoles 9pm] [domingo 8pm] Programa semanal de entrevistas reveladoras donde Myraida Chaves conversa con interesantes invitados.

Total: _____ / 10 puntos

2. PRODUCCIÓN ESCRITA

(100 palabras, aproximadamente)

Escribe una carta formal al director de un periódico comentando una noticia que has leído.

Incluye:

- introducción, presentándote y felicitándolo por el periódico
- explicación de la noticia
- opinión (lo que te gusta y no te gusta)
- despedida

▶ EVALUACIÓN DE TU PRODUCCIÓN ESCRITA

- **Lengua** (___ / 4 puntos)
- Léxico: medios de comunicación, redes sociales
- Gramática: diferencia entre pretérito perfecto, pretérito indefinido, *ya / todavía no*

- **Contenido** (___ / 4 puntos)
- la introducción de la carta
- el resumen de la noticia
- los comentarios sobre la noticia
- la despedida

- **Formato: carta formal** (___ / 2 puntos)
- ¿Utilizas el *usted* y las fórmulas formales de las cartas?
- ¿Has incluido fecha, introducción y despedida?

Total: _____ / 10 puntos

3. PRODUCCIÓN ORAL (expresión)

(Mínimo, dos minutos)

Graba dos noticias para la radio.

Incluye:

- una noticia sobre sucesos
- una noticia sobre sociedad

▶ EVALUACIÓN DE TU PRODUCCIÓN ORAL

- **Lengua** (___ / 4 puntos)
- Léxico: variado y correcto
- Gramática: pretérito indefinido o pretérito perfecto

- **Contenido** (___ / 4 puntos)
- una noticia sobre sucesos
- una noticia sobre sociedad

- **Expresión** (___ / 2 puntos)
- Hablas con fluidez y utilizas estrategias
- Tienes una buena pronunciación y entonación

Total: _____ / 10 puntos

4. COMPRENSIÓN ORAL

39 **Escucha este *podcast* que habla de la televisión y los adolescentes, y escoge las cinco frases que se dicen en él.**

1 La televisión influye en los hábitos, el comportamiento y el lenguaje de los adolescentes. ☐
2 Pasar muchas horas viendo la televisión es una de las causas de la obesidad en los adolescentes. ☐
3 Los adolescentes ven demasiadas horas de televisión. ☐
4 Los adolescentes, en los últimos años, ven menos televisión porque utilizan los ordenadores. ☐
5 Hay demasiados programas concurso; la competición es más importante que la colaboración. ☐
6 La televisión es un buen invento, pero no el uso que se hace de ella. ☐
7 La televisión destruye la unidad familiar. ☐

Total: _____ / 10 puntos

Total: _____ / 50 puntos

Mi progreso

Valora tu progreso después de esta unidad.

Mis habilidades

- Hablar, entender y escribir sobre los medios de comunicación y las redes sociales
- Escribir y entender una noticia y una carta formal e informal

Mis conocimientos

- Léxico relacionado con los periódicos, las revistas, la radio y la televisión, y las redes sociales
- Comentar noticias
- Valorar experiencias del pasado
- Los distintos tipos de carta y correos según los registros formal e informal
- Los signos de puntuación
- Información sobre Puerto Rico y los medios de comunicación

Soy más consciente:

- Del papel de los medios de comunicación y las redes sociales
- De ser más crítico ante los medios de comunicación
- De lo importante que es estar bien informado

 Bien   Adecuado   Mal

El calentamiento global

1 Completa el mapa mental con palabras o frases relacionadas con el calentamiento global.

El calentamiento global

El efecto invernadero

2 Lee este breve artículo sobre la temperatura del planeta y completa los espacios con las siguientes construcciones.

porque • a causa • para • sin embargo • sino • por eso

3 Completa el cuadro con los sustantivos derivados de estos verbos.

Verbos	Sustantivos
1 provocar	*la provocación*
2 derretir	
3 cambiar	
4 elevar	
5 calentar	
6 aumentar	
7 disminuir	
8 incrementar	

4 Añade los sustantivos o verbos de la actividad anterior a estas frases. Puede haber más de una opción.

1 El *cambio* en los sistemas marinos.
2 La temperatura _____ la superficie de la Tierra.
3 El _____ de la capa de hielo.
4 El _____ en las precipitaciones.
5 Los huracanes _____ en las zonas tropicales.
6 El _____ de la desertificación

CLIMA

La temperatura de la superficie del planeta ha subido 0,8 grados desde que empezaron los registros en 1880.

Manuel Ansede

No solo hemos tenido los diez años más calurosos desde 2000, con la excepción de 1998, (1) _____ que los nuevos datos confirman las predicciones de la Organización Meteorológica Mundial, que advirtió que vamos a batir el récord de temperatura. (2) _____ , estas tendencias son más que simples registros (3) _____ nos informan de cambios que afectan a todo el planeta.

Estas altas temperaturas se dan principalmente (4) _____ del

aumento del CO_2 y otras emisiones de gases (5) _____ producir energía en la atmósfera. (6) _____ , los fenómenos climatológicos como El Niño y La Niña, que calientan o enfrían la región tropical del océano Pacífico, también han sido responsables de la subida de la temperatura.

Basado en www.elpais.com

5 **¿A qué fenómenos naturales corresponden estas definiciones? Utiliza una de las siguientes palabras.**

huracán ● desertificación ● derretimiento
incendio ● inundación ● sequía

1 Fuego grande que lo destruye todo: *incendio.*
2 Tiempo seco de larga duración: _____
3 Gran cantidad de agua que cubre terrenos y, a veces, poblaciones: _____
4 Fenómeno atmosférico violento que gira a gran velocidad: _____
5 Disolución por medio del calor de algo congelado: _____
6 Transformación en desiertos de zonas de tierras fértiles: _____

6 **¿Cuáles son las principales consecuencias del calentamiento global? Haz una lista en tu cuaderno y coméntala con un compañero.**

7 **Escribe un breve artículo en tu cuaderno sobre una de las consecuencias del calentamiento global que afecta más al lugar donde vives.**

Los recursos naturales

8 **Marca los que son recursos naturales.**

Agua ☐
Viento ☐
Energía solar ☐
Insecticidas ☐
Animales ☐
Plástico ☐
Cereales ☐
Madera ☐
Fertilizantes ☐
Petróleo ☐

9 **Escribe cuáles son los recursos naturales de tu país.**

_____
_____
_____
_____
_____

10 **Escucha a un experto hablando sobre el medio ambiente en un programa de radio: ¿a qué problemas ambientales se refiere?**

1 Se refiere los problemas de la contaminación
2 Se refiere los problemas de la _____ de oire, agua, deforestación.

11 **En este foro sobre el medio ambiente puedes ver las opiniones de cuatro personas. Completa sus respuestas. Utiliza las siguientes expresiones.**

estoy seguro (x2) ● estoy de acuerdo (x2)

Medio ambiente

1 El problema más grave para mí es la contaminación de las ciudades. _____ de que para eso no hay una solución fácil.

Hugo (México)
10 mar 2015 (17:35)
💬 3 comentarios

2 Creo que es una problemática muy difícil de solucionar, pero _____ de que podemos hacer algo.

José Antonio (Venezuela)
13 mar 2015 (13:05)
💬 13 comentarios

3 ¡_____ con los dos! Aquí hay más problemas con el derretimiento de los glaciares que con la contaminación. Tenemos el Perito Moreno, que cada año pierde masa de hielo.

Verónica (Argentina)
15 mar 2015 (12:01)
💬 1 comentarios

4 Claro, depende de donde la persona vive. Aquí, además de la contaminación que mencionan José Antonio y Hugo, hay otros problemas, pero _____ con José Antonio en que siempre podemos hacer algo…

María Alejandra (Venezuela)
15 mar 2015 (19:31)
💬 0 comentarios

12 Las siguientes expresiones se utilizan en una conferencia. ¿A qué partes se refiere cada una de ellas? Relaciona la expresión con las partes correspondientes.

El tercer problema es ● Todo el mundo dice
Señoras y señores ● En último lugar
El problema es ● Lo segundo es ● En primer lugar
Ha sido un placer ● Para terminar

1 Saludo inicial: _____
2 Introducción al tema: _____
3 Presentación de la problemática: _____
4 Primer punto: _____
5 Segundo punto: _____
6 Tercer punto: _____
7 Último punto: _____
8 Conclusión: _____
9 Saludo final (cierre): _____

13 Lee este fragmento de una conferencia sobre la educación medioambiental y añade las frases que le faltan.

a Lo primero

b La cuestión es

c Lo segundo

d es un placer estar aquí

e A continuación, voy a hablar de algunas medidas

Señoras y señores, estimado público, (1) _____ para hablar de la educación medioambiental y de cómo podemos educar a nuestros niños y jóvenes en las escuelas.

(2) _____ tratar de encontrar soluciones que se adaptan a esta escuela en particular. (3) _____ que pueden ser útiles.

(4) _____ es comenzar la educación medioambiental desde casa y tomar medidas, como reciclar cartón, plásticos, vidrio, etc.; utilizar el transporte público, apagar las luces, utilizar papel reciclado, entre muchas otras. (5) _____ es concienciarnos de que el medio ambiente es una cuestión de todos…

14 Mira las fotos, completa las frases y, luego, habla con tu compañero sobre el problema ambiental que representan.

1 _____ de especies.

2 _____ de la masa de hielo.

3 _____ ambiental.

15 Busca palabras con diptongos relacionadas con la unidad y clasifícalas en las columnas.

vocal abierta + vocal cerrada	vocal cerrada + vocal abierta	vocal cerrada + vocal cerrada
	superficie	

La educación medioambiental

16 Estas son algunas medidas para contribuir a la educación medioambiental en nuestra vida diaria. Relaciona las frases de las dos columnas.

1 Hacer un uso eficiente
2 Utilizar
3 Limitar
4 Caminar o utilizar
5 Reciclar
6 Apagar las luces

a el transporte público
b cuando salimos de casa
c envases de plástico, vidrio, cartón y papel
d del automóvil
e el consumo de agua
f papel reciclado

17 Lee el título y subtítulo del siguiente artículo: ¿te parece interesante como iniciativa?, ¿por qué? Coméntalo con tu compañero.

Agua potable hecha de desechos

El OmniProcessor es una máquina que convierte los *desechos orgánicos de los desagües en agua adecuada para beber.

Ángel Luis Sucasas. Madrid

El OmniProcessor, una máquina capaz de transformar *heces en agua.
Cambiar el mundo es un sueño del imaginario colectivo que se repite una y otra vez en la ficción. Pero es con esa meta, «cambiar el mundo», con la que dice enfrentarse Peter Janicki desde que Bill y Melinda Gates le encargaron [...] un proyecto [...] con un enorme impacto social: construir una máquina que convierta los *excrementos en agua. Una máquina que ya es realidad.
Su nombre es OmniProcessor y es capaz de transformar 100 toneladas de desechos orgánicos al día, que convierte en unos 80 000 litros de agua potable, dependiendo de la humedad del material tratado. El tránsito es posible gracias a un complejo sistema de sucesivo refinado de los residuos. [...] Todo este proceso, de los desperdicios al agua, dura cinco minutos.
El OmniProcessor es una máquina grande. Janicki invita a imaginarla como dos autobuses públicos aparcados uno junto al otro y necesita también de espacio a su alrededor para la carga de desecho. [...]
El impacto que esta compañía calcula [...] en países en vías de desarrollo es enorme. Las muertes por diarrea, causadas tanto por el agua contaminada como por su escasez para la higiene, se elevan a más de 2,2 millones al año. [...]
Pero Janicki no solo piensa en los beneficios que puede tener el OmniProcessor, sino en la lucha contra la pobreza. Profetiza un cambio ecológico a escala global. [...] Eso significa menos contaminación para los ríos y para el medio ambiente, en general. Esa es la idea. «Hemos trabajado muy duro para reducir al mínimo nuestras emisiones. El objetivo es acabar con la contaminación, no generarla. Creemos que vamos a tener un impacto enorme».

*Desechos orgánicos=heces=excrementos

Extraído de www.elpais.com

18 Lee el párrafo del artículo anterior en negrita y completa la información sobre la máquina.

Nombre:
Funcionamiento:
Duración del proceso:

19 Lee los últimos tres párrafos y contesta a las preguntas.

1 ¿Con qué se compara la máquina?

2 ¿Por qué va a tener un impacto enorme en países en vías de desarrollo?

3 ¿Cómo va a contribuir al medio ambiente?

20 Clasifica estas frases de un debate en la columna correspondiente. Hay varias opciones.

1 En primer lugar, estoy de acuerdo con el experto…
2 No estoy de acuerdo contigo cuando dices que el medio ambiente es…
3 Por último, no se necesita mucho dinero para contribuir a la educación medioambiental…
4 Tercero, siempre depende de lo que pasa en otros países…
5 Estoy totalmente de acuerdo con tu idea de concienciar a la gente primero…
6 Desde mi punto de vista, es importante tener alternativas para resolver los problemas ambientales…

Organizar la información	1
Expresar opiniones	
Presentar argumentos	
Resumir / Concluir	

21 (41) Escucha a una representante de una ciudad del Caribe venezolano en un programa de radio y completa la información con un compañero.

Nombre de la ciudad:

Número de habitantes:

Iniciativa / Medida:

22 (41) Vuelve a escuchar el programa y toma notas sobre las siguientes cuestiones.

Problemas producidos por las bolsas de plástico.

Lugares donde se han desarrollado otras iniciativas.

23 Con un compañero, pensad en una iniciativa para contribuir a la educación medioambiental y escribid los argumentos a favor y en contra.

INICIATIVA:

A FAVOR:

EN CONTRA:

Lengua y comunicación

Marca la respuesta correcta.

1 ____ del calentamiento global, se producen climas extremos.
- a) ☐ Debido
- b) ☐ A causa
- c) ☐ Porque

2 Hay un ____ de las precipitaciones por la elevada temperatura de la Tierra.
- a) ☐ aumento
- b) ☐ elevación
- c) ☐ derretimiento

3 El ____ climático afecta a todo el planeta.
- a) ☐ derretimiento
- b) ☐ aumento
- c) ☐ cambio

4 Parte de la energía solar llega al suelo. ____, no toda esa energía es aprovechada.
- a) ☐ Sin embargo
- b) ☐ Por eso
- c) ☐ Para

5 Los gases de invernadero controlan la Tierra. ____ es importante controlar la cantidad.
- a) ☐ Porque
- b) ☐ Por eso
- c) ☐ Sino que

6 Estoy totalmente ____ con que la educación medioambiental es una tarea de todos.
- a) ☐ desacuerdo
- b) ☐ depende
- c) ☐ de acuerdo

7 Hay cada vez más consecuencias del calentamiento global, ____ seguro de eso.
- a) ☐ tenemos
- b) ☐ tengo
- c) ☐ estoy

8 En ____ lugar, no estoy de acuerdo con ese punto.
- a) ☐ primero
- b) ☐ primer
- c) ☐ resumir

9 El ____ problema es la falta de concienciación de la gente, en general.
- a) ☐ último
- b) ☐ última
- c) ☐ primero

10 Tenemos que ____ papel, plástico y cartón.
- a) ☐ apagar
- b) ☐ derretir
- c) ☐ reciclar

11 Por una parte, es importante utilizar el transporte público, ____, hay que hacer un uso eficiente del automóvil.
- a) ☐ es importante
- b) ☐ por otra parte
- c) ☐ por un lado

12 Muchas gracias, ha sido ____ estar hoy con ustedes.
- a) ☐ una cuestión
- b) ☐ un placer
- c) ☐ un agradecimiento

13 Hay ventajas y ____ en el uso de los recursos naturales.
- a) ☐ desventajas
- b) ☐ partes
- c) ☐ puntos a favor

14 En ____, es importante limitar el consumo de agua.
- a) ☐ mi punto de vista
- b) ☐ mi opinión
- c) ☐ me parece

15 No, no estoy ____ con lo que dices.
- a) ☐ seguro
- b) ☐ de acuerdo
- c) ☐ desacuerdo

16 La ____ se produce por las emisiones de gases tóxicos.
- a) ☐ contaminación
- b) ☐ deforestación
- c) ☐ sequía

17 Los problemas ____ afectan a todo el planeta.
- a) ☐ ambiente
- b) ☐ ambientales
- c) ☐ atmósfera

18 Los ____ afectan a las zonas tropicales y a veces ocasionan catástrofes.
- a) ☐ inundaciones
- b) ☐ huracanes
- c) ☐ precipitaciones

19 La ____ de animales y plantas es un problema muy grave.
- a) ☐ deforestación
- b) ☐ extinción
- c) ☐ energía

20 No solo tenemos que concienciarnos, ____ que tenemos que hacer algo para contribuir a la educación ambiental.
- a) ☐ por
- b) ☐ a causa de
- c) ☐ sino

Total: _____ / 10 puntos

Destrezas

 1. COMPRENSIÓN ESCRITA

1 **Lee el apartado de conferencias de la siguiente página web y marca (X) la respuesta correcta.** (__ / 2 puntos)

El texto tiene como función:

1 Invitar a participar en las conferencias. ☐
2 Informar sobre las conferencias. ☐
3 Entretener a los adolescentes. ☐

R21 Latinoamérica Sustentable

Juntos, podemos lograrlo.

CAUSAS CONSECUENCIAS SOLUCIONES COMUNIDAD R21 QUÉ HAGO CONFERENCIAS QUIÉNES SOMOS

Ciclo de conferencias ambientales R21* de la Provincia de Buenos Aires (Argentina)

La iniciativa surge del entendimiento de que la educación y concientización* son el primer paso en el camino de construir un planeta sustentable.

El ciclo está dirigido a los alumnos de escuelas secundarias públicas y está compuesto por conferencias sobre el cambio climático, que se realizan a lo largo de toda la provincia de Buenos Aires.

Las charlas están destinadas a generar conciencia sobre las causas, consecuencias y soluciones del cambio ambiental global, presentadas siempre con un mensaje realista y positivo para motivar a los adolescentes.

El objetivo es despertar su interés y hacerlos más conscientes de que no es solo el futuro del planeta lo que está en juego, sino también sus propias vidas y el futuro inmediato.

Solo en su primer año, el ciclo de conferencias ambientales ha concientizado* a más de 43 000 alumnos.

Las disertaciones están a cargo de Mariana Díaz, periodista y conductora especializada en cambio climático, quien realiza una exposición de las causas y consecuencias que se están observando en todo el mundo a raíz del cambio ambiental global, y del reconocido músico y fundador de R21 Charly Alberti, quien sube al escenario para realizar una presentación audiovisual que incluye fotos, gráficos y videos que transforman la exposición en una historia llena de emociones.

* Revolución 21: movimiento que trabaja para una Latinoamérica sustentable "sustentable" aquí significa "sostenible".
* Concienciación.

Extraído de www.revolucion21.or

2 **Vuelve a leer el texto y marca si las siguientes afirmaciones son verdaderas o falsas. Justifica tu respuesta con palabras extraídas del texto.** (__ / 8 puntos)

1 Lo primero que se necesita para construir un planeta sustentable es educar y concienciar a la gente.
Verdadero ☒ Falso ☐

Justificación: ...*la educación y la concienciación son el primer paso en el camino de construir un planeta sustentable.*

2 Las conferencias están dirigidas a alumnos de escuelas secundarias públicas de todo el país.
Verdadero ☐ Falso ☐

Justificación: _____

3 El mensaje de las conferencias es optimista.
Verdadero ☐ Falso ☐

Justificación: _____

4 En los últimos años, las conferencias han concienciado a más de 40 000 alumnos.
Verdadero ☐ Falso ☐

Justificación: _____

5 Una de las personas que está a cargo de las conferencias es un músico famoso.
Verdadero ☐ Falso ☐

Justificación: _____

Total: _____ / 10 puntos

2. PRODUCCIÓN ESCRITA

(100 palabras, aproximadamente)

Escribe una breve conferencia sobre cosas que podemos cambiar en nuestra vida diaria para contribuir a la educación medioambiental.

Incluye:
- saludo inicial
- introducción al tema
- dos cosas que podemos cambiar en nuestra vida diaria
- conclusión

▶ EVALUACIÓN DE TU PRODUCCIÓN ESCRITA

- **Lengua** (___ / 4 puntos)
- Léxico: medio ambiente
- Gramática: presente, conectores

- **Contenidos** (___ / 4 puntos)
- Saludo inicial
- Introducción al tema
- Dos cosas que podemos cambiar en nuestra vida diaria
- Conclusión: tu opinión sobre el tema

- **Formato: conferencia** (___ / 2 puntos)
- ¿Has incluído referencias al público?
- ¿Hay saludo y despedida?

Total: _____ / 10 puntos

3. PRODUCCIÓN ORAL (Expresión)

(Mínimo, un minuto)

Elige dos consecuencias del calentamiento global y explícalas.

▶ EVALUACIÓN DE TU PRODUCCIÓN ORAL

- **Lengua** (___ / 4 puntos)
- Léxico: calentamiento global / medio ambiente
- Gramática: presente, conectores

- **Contenido** (___ / 4 puntos)
- Incluyes dos consecuencias del calentamiento global
- Explicas cómo se producen

- **Expresión** (___ / 2 puntos)
- Hablas con fluidez
- Tienes una buena pronunciación y entonación

Total: _____ / 10 puntos

4. COMPRENSIÓN ORAL

(42) Escucha la siguiente noticia en la radio e indica si se menciona (V) o no (X) la siguiente información.

1 El nivel del mar en España ha subido. ☐
2 El estudio está financiado por la Unión Europea. ☐
3 El aumento se va a producir el año que viene. ☐
4 El gobierno del Reino Unido ha comenzado a contribuir para solucionar este problema. ☐

Total: _____ / 10 puntos

Total: _____ / 50 puntos

Mi progreso

Valora tu progreso después de esta unidad.

Mis habilidades

- Hablar, entender y escribir sobre el calentamiento global, los recursos naturales y la educación medioambiental

- Entender y producir una infografía, un debate, un *blog*, un folleto informativo

Mis conocimientos

- El calentamiento global, los recursos naturales, la educación medioambiental

- Construcciones finales, adversativas, causales y consecutivas; nominalización de los verbos

- Expresiones: *estar de acuerdo, estar seguro*

- Expresiones utilizadas en una conferencia y en un debate

- El diptongo

- Información sobre Venezuela y el medio ambiente

Soy más consciente

- De las consecuencias del calentamiento global y la importancia de la educación medioambiental

- Del valor de los recursos naturales

- Del compromiso global con los problemas ambientales

 Bien   Adecuado   Mal

16 Migración

Culturas con historia

1 Escribe las siguientes cifras en números romanos.

1 _____ **10.**
2 _____ **8**
3 _____ **13**
4 _____ **16**
5 _____ **4**
6 _____ **18**

2 Relaciona los siguientes datos sobre la historia de España y de América. Puedes buscar la información en internet.

1 El Imperio romano
2 Al-Ándalus
3 Los Reyes Católicos
4 Cristóbal Colón
5 La Guerra Civil
6 Napoleón Bonaparte
7 Simón Bolívar y José de San Martín

a Entre 1936 y 1939, hay una guerra en España.
b Territorio en la península ibérica que durante ocho siglos ocupan diferentes reinos musulmanes.
c Con sus tropas francesas, invade España a principios del siglo XIX.
d Sus legiones ocupan gran parte de Europa hasta el siglo V d. C.
e Conquistan el último reino musulmán de la península ibérica.
f Quiere encontrar una nueva ruta comercial para llegar a las Indias.
g Luchan por la independencia de muchos países de América.

3 Escribe un dato histórico relevante para el mundo en las siguientes fechas.

1 Siglos VI-I a. C.: _____
2 Siglos I-XII d. C.: _____
3 Siglos XIII-XVIII: _____
4 Siglos XIX-XX: _____

4 Lee los siguientes datos históricos sobre España y ordénalos cronológicamente.

1 Hasta el siglo III a. C.: ☐
2 Del siglo V al VIII: ☐
3 Del siglo VIII al XV: ☐
4 Siglo XV: ☐
5 Principios del siglo XIX: ☐
6 Finales del siglo XIX: ☐
7 Siglo XX: ☐

1 En 1808 Napoleón invadió la Península Ibérica, pero el 2 de mayo de ese año hubo una sublevación popular que provocó la Guerra de la Independencia, que duró hasta 1814. En el mismo periodo, a partir de 1810, se independizaron la mayoría de los territorios bajo dominio español en América: Venezuela, México, Argentina, Colombia…

2 Las primeras civilizaciones llegaron a lo que hoy se conoce como España hace 12 000 años. Celtas, fenicios, cartagineses y griegos la invadieron y colonizaron, hasta que en el 200 a. C. pasó a formar parte del Imperio romano.

3 Con la Guerra de Cuba contra Estados Unidos, en 1898, España perdió sus últimas colonias de ultramar: Cuba, Puerto Rico y Filipinas.

4 En el año 711 los musulmanes, procedentes del norte de África ocuparon casi toda la península y reinaron en un área llamada Al-Ándalus. Permanecieron allí 750 años.

5 En 1931 se proclamó la II República, que acabó con un golpe de estado militar y la Guerra Civil (1936-1939). Después de la guerra, el general Franco impuso una dictadura que duró hasta su muerte, en 1975.

6 Los Reyes Católicos (Isabel I de Castilla y Fernando II de Aragón) se casaron y unieron sus reinos en 1469. En 1492 protagonizaron dos hechos muy importantes: conquistaron Granada, el último reino musulmán de la península, y financiaron el proyecto de Cristóbal Colón para buscar una nueva ruta comercial con Asia.

7 Los visigodos, procedentes de un pueblo germánico oriental, invadieron Italia y saquearon Roma en el año 410. Se establecieron en el sur de la Galia (actual Francia) y en la península ibérica donde crearon el Reino Visigodo, hasta que fueron derrotados por los árabes en la batalla de Guadalete en el año 711.

5 En parejas, leed en voz alta un párrafo cada uno y transformad los verbos en pretérito indefinido a presente histórico.

6 Continúa las frases con alguna información relacionada con la historia o la política de tu país.

1 A finales del siglo XIX _____

_____ .

2 A mediados del siglo XX _____

_____ .

3 Actualmente _____

_____ .

7 Escribe los sustantivos.

1 gobernar: *el gobierno*
2 expandirse: _____
3 conquistar: _____
4 colonizar: _____
5 independizarse: _____
6 influir: _____

Antes y ahora

8 Completa el cuadro con las formas regulares en pretérito imperfecto.

	estar	poder	recibir
yo			
tú	estabas		
él, ella, usted			
nosotros/-as		podíamos	
vosotros/-as			
ellos/-as, ustedes			recibían

9 Ahora completa el cuadro con las formas de los siguientes verbos irregulares en pretérito imperfecto.

	ser	ver	ir
yo	era		
tú			
él, ella, usted			
nosotros/-as			íbamos
vosotros/-as			
ellos/-as, ustedes		veían	

10 Completa las frases en pretérito imperfecto.

tener ● ser ● escuchar ● vivir ● hablar ● haber ● convivir ● ver

1 En la época del Imperio romano la gente _____ latín.
2 Los mayas _____ expertos en astrología.
3 En la Edad Media, en España _____ judíos, musulmanes y cristianos.
4 A finales del siglo XIX muchos países europeos _____ colonias por todo el mundo.

5 Entre los años cuarenta y setenta, en España no _____ democracia.
6 Mis abuelos piensan que antes la gente _____ mejor.
7 A mediados del siglo XX muy pocas personas _____ televisión.
8 Hasta la llegada de la televisión, todo el mundo _____ la radio.

11 Lee el siguiente texto sobre la higiene en la Edad Media y subraya dónde se ofrecen las siguientes informaciones. Hay una información que no está en el texto.

1 Los reyes solo se bañaban cuando se lo recomendaban los médicos.
2 Los médicos pensaban que el agua caliente hacía enfermar a la gente.
3 En lugar de lavarse, la gente se cambiaba de ropa.
4 La gente no tenía cuarto de baño y utilizaba las calles y los patios.
5 Toda la familia se bañaba en la misma bañera, sin cambiar el agua.
6 Solo se bañaba la gente rica.
7 La gente se casaba antes del verano, porque estaban más limpios.
8 Las novias llevaban flores para oler bien.

Costumbres sobre la higiene en la Edad Media

En la Edad Media los médicos creían que el agua, sobre todo caliente, abría los poros de la piel y provocaba enfermedades. Incluso empezó a difundirse la idea de que la suciedad protegía contra las enfermedades y que, por lo tanto, el aseo personal debía realizarse «en seco», solo con una toalla limpia para frotar las partes visibles del organismo.

El rechazo al agua llegaba a las más altas clases sociales. Las damas más limpias se bañaban dos o tres veces al año y el propio rey solo lo hacía por indicación de su médico, y con muchas precauciones, como demuestra este relato de uno de los médicos privados de Enrique VIII: «Hice preparar el baño, el rey entró en él a las diez y durante el resto de la jornada se sintió pesado, con un terrible dolor de cabeza...».

Los baños eran tomados en una bañera enorme llena de agua caliente. El padre de la familia era el primero en tomarlo, luego los otros hombres de la casa, por orden de edad, y después, las mujeres, también en orden de edad.

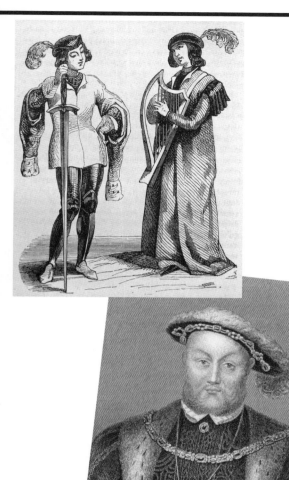

Al final se bañaban los niños, y los bebes los últimos. Los ricos no se lavaban realmente, sino que se cambiaban de camisa con más frecuencia que los pobres. Pero, incluso quienes se cambiaban mucho de ropa, solo lo hacían una vez al mes.

En la Edad Media la mayoría de la gente se casaba en el mes de junio, al comienzo del verano. La razón era sencilla: el primer baño del año era tomado en mayo, así, en junio, el olor de las personas aún era tolerable. Asimismo, como algunos olores en ese mes ya empezaban a ser molestos, las novias llevaban ramos de flores para evitar el mal olor. Hoy es considerado como mes de las novias, y de allí nace la tradición del ramo de novias.

En los palacios y las casas la existencia de los baños era nula, los callejones y patios eran sus cuartos de baño. Los sistemas de alcantarillado aún no existían; por lo tanto, las ciudades medievales eran verdaderos vertederos de basura. Grandes metrópolis como Londres o París estaban consideradas en aquel tiempo como algunos de los lugares más sucios del mundo.

Extraído de www.taringa.net

12 Lee las siguientes frases y escribe otras con *ya no* o *todavía*.

1 En el siglo XIX mucha gente iba en bicicleta. Actualmente *hay mucha gente que todavía va en bicicleta.*

2 Hace unos años todo el mundo, cuando quería dar una noticia, enviaba un telegrama. Hoy en día _____ _____ .

3 Hasta que llegó el ordenador, la mayoría de la gente escribía con una máquina de escribir. Ahora _____ _____ .

4 Antes, las parejas hacían una gran fiesta cuando se casaban. En el siglo XXI _____ _____ .

5 En los años cincuenta la gente iba al cine para entretenerse. En la actualidad _____ _____ .

6 A principios del siglo XX, en muchos lugares no había luz eléctrica. En la actualidad _____ _____ .

7 En la Edad Media se comía con las manos. Actualmente _____ _____ .

8 En el siglo XIX las mujeres no podían votar. Hoy en día _____ _____ .

13 ⑷₃ Escucha una entrevista con una especialista sobre Madrid. Lee las siguientes frases y marca si son verdaderas (V) o falsas (F).

	V	F
1 En Madrid hay una plaza y una calle que se llaman Lavapiés.		
2 El nombre del barrio viene de una plaza donde había una fuente.		
3 Antes del siglo XV, en el barrio ya vivía gente.		
4 Hasta los años ochenta, en el barrio solamente vivía gente mayor.		
5 En los años noventa los precios de los alquileres subieron mucho.		
6 Lavapiés es el primer barrio de Madrid donde se empezaron a ocupar casas.		
7 Muchos inmigrantes se instalaron en Lavapiés porque era más barato.		
8 Actualmente, en Lavapiés se celebran el Año Nuevo chino y el ramadán.		

Recuerdos

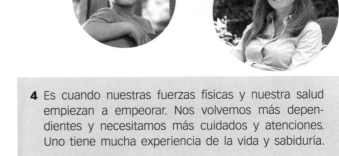

14 ¿A qué etapa de la vida corresponden las siguientes definiciones?

Juventud   Adolescencia

Infancia / Niñez   Vejez   Madurez

1 Se dice que es una de las mejores etapas. En ella ya somos adultos y tenemos mucha fuerza física y mental. Empezamos a pensar en tener una familia, empezamos a trabajar, etcétera. _____

2 Es cuando empezamos a experimentar cambios físicos en nuestro cuerpo, y mentales. Es el paso de la infancia a la vida más independiente y adulta. _____

3 En esta etapa de la vida empezamos a descubrir el mundo que nos rodea y aprendemos las cosas más básicas, como hablar, leer o escribir. Es una etapa en la que vivimos felices y sin preocupaciones. _____

4 Es cuando nuestras fuerzas físicas y nuestra salud empiezan a empeorar. Nos volvemos más dependientes y necesitamos más cuidados y atenciones. Uno tiene mucha experiencia de la vida y sabiduría. _____

5 Esta es una etapa en la que nuestra vida, en cuanto a familia, trabajo, etc., ya está formada. _____

15 ¿Cómo era la escuela cuando eras pequeño? Escribe una frase sobre cada uno de los siguientes temas.

1 tus profesores

_____

2 tus compañeros

_____

3 tu tiempo libre

_____

4 tus asignaturas

_____

5 tus exámenes

_____

6 tus deberes

_____

16 Completa con *recordar* o *acordarse*.

1 No _____ del nombre de la película que vi ayer.

2 ¿_____ cuando tu abuelo jugaba contigo al fútbol?

3 ¿Vosotros no _____ del vecino que vivía en el segundo piso? Era muy simpático.

4 Mi madre tiene muy poca memoria y nunca _____ de dónde ha dejado las llaves de casa.

5 _____ que cuando era pequeña, desayunábamos todos juntos en casa y ahora desayuno solo.

6 ¿No _____ de que no te gustaba la sopa cuando eras pequeña?

17 ¿Sabes quiénes son los *nikkei*? Lee el resumen de lo que comentan dos *nikkei* sobre su cultura y completa los textos con las siguientes palabras.

latinoamericano ● japoneses ● diferencias ● cultura
responsabilidad ● opuestas ● comunes ● costumbres

❶ Alfredo Kato (periodista peruano)

Ser nikkei es mucho más que ser descendiente de _____; ser *nikkei* es tener la _____ de tener dentro de uno dos conceptos, dos culturas, que son completamente _____, pero que debemos mantener.

Extraído de www.discovernikkei.org

❷ Roberto Hiroshe (empresario chileno)

El desarrollo de lo que es ser *nikkei* ha sido diferente en cada país _____. Tenemos raíces _____ y también hay _____. En los lugares donde hay muchos japoneses hay colegios japoneses, organizaciones japonesas… En cambio, en Chile, no. Por lo tanto, en esos lugares las _____ y la _____ se preservaron durante más tiempo

Extraído de www.discovernikkei.org

18 🔊 Ahora, escucha y comprueba tus respuestas.

19 Lee el siguiente blog de una chica argentina y responde a las preguntas.

1 ¿Por qué se reían de ella cuando era pequeña?

2 ¿Por qué se sentía diferente al resto de los *nikkei*?

3 ¿Crees que se siente más japonesa que argentina?

4 ¿Qué es para ella ser *sansei*?

Hafu¹ y sansei²

Recuerdo que cuando iba al colegio muchos de mis compañeritos se reían de mí porque tenía ojos rasgados. Me miraba al espejo tratando de descubrir quién era yo y no lograba ver mi reflejo en los ojos orientales de mi mamá y en los ojos verdes y la nariz prominente³ de mi papá.

Cuando terminé la secundaria y me convertí en una joven adulta que acababa de mudarse⁴ a una metrópoli, otra vez tuve la conciencia de que era diferente (y me sentía diferente) a los *nikkei* que iba conociendo en la comunidad, porque no tenía los ojos completamente rasgados y mi cabello no era negro. Luego de un tiempo entendí que las facciones del rostro⁵ eran solo características externas de mi persona; mis compañeros no me conocían realmente. No sabían que en mi casa, cuando estábamos almorzando o cenando, le pedía a mi mamá *gohan*⁶, o que a la hora del té, ella me preguntaba si deseaba tomar una taza de *ocha*⁷ o que no me resultaba extraño comer pescado crudo. Y creo que tampoco sabían que junto con mi papá amasaba tallarines caseros y que cocinábamos *pizza*, ñoquis, canelones y salsas caseras para pastas con el mejor toque italiano. Me llevó un tiempo descubrir que era bueno ser distinto del resto y que era bueno saber quién era uno.

Desde mi experiencia y perspectiva, ser *nikkei* es una elección, es como te han educado, es la adopción de la cultura japonesa para adaptarla al espacio y al tiempo que se vive; es respetar y mejorar lo que heredamos de los primeros japoneses que se instalaron en la Pampa, es escuchar al que se encuentra allá en la isla, es ayudar y apoyar lo que aquí hacen las personas (descendientes o no) que intentan enseñar qué es la cultura oriental.

Creo que es bueno adoptar la identidad *nikkei* o cualquier otra identidad si eso te ayuda a pertenecer a una colectividad y sentirse parte de ella. El *sansei* de hoy y de acá es un argentino que tiene la posibilidad de adoptar lo mejor de la cultura japonesa y mezclarla con la cultura criolla⁸ (o española, o italiana, o alemana, o francesa, etc.)

¹ *hafu*: hijo de matrimonio mixto.
² *sansei*: tercera generación que no vive en Japón.
³ prominente: grande
⁴ mudarse: cambiarse de casa
⁵ rostro: cara
⁶ *gohan*: arroz blanco al estilo japonés
⁷ *ocha*: té verde
⁸ criollo: nacido en América y descendiente de europeos

Extraído del blog de Laura Rigoni

20 Lee la siguiente información sobre estas tres minorías étnicas y completa el cuadro.

	¿Dónde viven?	¿Cuál es su origen?
SEFARDÍES Y ASQUENAZÍES		
GARÍFUNAS		
GITANOS		

SEFARDÍES Y ASQUENAZÍES

El judaísmo tiene dos grupos étnicos mayoritarios, el formado por los asquenazíes, procedente de Europa central y oriental, y el de los sefardíes, que son los que tienen sus raíces en la península ibérica. A estos últimos los caracteriza hablar el ladino (el castellano medieval que han transmitido de generación en generación durante más de medio milenio) y algunas prácticas especiales en el rito y en el rezo. Tanto los judíos sefardíes como los asquenazíes viven hoy en día por todo el mundo, principalmente en Israel, Estados Unidos y algunos países europeos y latinoamericanos.

GARÍFUNAS

Los garífunas son un grupo étnico descendiente de africanos que vive en varias regiones de Centroamérica y el Caribe. También se los conoce como caribes negros. Se estima que son más de 600 000, en diferentes países americanos.

GITANOS

Se denominan gitanos, romaníes, zíngaros o pueblo gitano a la comunidad o etnia originaria del subcontinente indio con rasgos culturales comunes, aunque con enormes diferencias entre sus subgrupos. Viven principalmente en Europa; de hecho, son la mayor minoría étnica de la Unión Europea, aunque viven también, pero en menor proporción, en el resto del mundo.

21 Busca un dato más sobre las minorías de la actividad anterior.

1 Sefardíes y asquenazíes: _____
2 Garífunas: _____
3 Gitanos: _____

Lengua y comunicación

Marca la respuesta correcta.

1 El año 1898 corresponde al siglo ____.
a) ☐ XXI.
b) ☐ XIX.
c) ☐ XX.

2 La Segunda Guerra Mundial ____ en 1945.
a) ☐ desaparece
b) ☐ termina
c) ☐ procede

3 Roma se funda en el año 753 ____
a) ☐ d. P.
b) ☐ A/A
c) ☐ a. C.

4 Hoy ____ hay muchos países que no tienen democracia.
a) ☐ en día
b) ☐ en la actualidad
c) ☐ en esta época

5 El gallego y el catalán también son ____ idiomas oficiales en España.
a) ☐ estos días
b) ☐ actualmente
c) ☐ en presente

6 La mayoría de las palabras en español ____ principalmente del latín.
a) ☐ toman
b) ☐ proceden
c) ☐ existen

7 En ____ la gente empieza a escuchar música en inglés.
a) ☐ los sesenta
b) ☐ años sesenta
c) ☐ sesentas

8 Mis abuelos dicen que en su época la gente ____ mejor.
a) ☐ vivieron
b) ☐ vivían
c) ☐ vivía

9 Mis padres en casa ____ italiano, no ____ hablar bien español.
a) ☐ hablaron / supieron
b) ☐ han hablado / han sabido
c) ☐ hablaban / sabían

10 Antes, en Europa, la moneda no ____ el euro.
a) ☐ había
b) ☐ existía
c) ☐ era

11 Ahora voy en bicicleta al instituto, antes ____ a pie.
a) ☐ iba
b) ☐ era
c) ☐ fui

12 En mi ciudad, hace unos años, ____ más trabajo que ahora.
a) ☐ había
b) ☐ era
c) ☐ fue

13 Ayer ____ al cine con unos amigos.
a) ☐ fui
b) ☐ iba
c) ☐ íbamos

14 Cuando no ____ los correos electrónicos, la gente escribía cartas.
a) ☐ habían
b) ☐ eran
c) ☐ existían

15 Yo ____ como carne, porque ahora soy vegetariano.
a) ☐ ya
b) ☐ todavía
c) ☐ ya no

16 Julián llegó ayer, pero ____ he hablado con él.
a) ☐ ya
b) ☐ todavía
c) ☐ todavía no

17 En mi país ____ hay crisis, hay mucha gente sin trabajo.
a) ☐ ya no
b) ☐ todavía
c) ☐ todavía no

18 Cuando tenía catorce años, en mi ____, me llamaban Tobi.
a) ☐ adolescencia
b) ☐ niñez
c) ☐ juventud

19 No ____ del nombre del recepcionista, pero era muy simpático.
a) ☐ recuerdo
b) ☐ me acuerdo
c) ☐ acuerdo

20 ____ de pequeña, en mi casa teníamos solo un teléfono.
a) ☐ Acuerdo que
b) ☐ Recuerdo que
c) ☐ Recuerdo

Total: ____ / 10 puntos

Destrezas

1. COMPRENSIÓN ESCRITA

1 **Lee el fragmento de este reportaje y continúa las frases con la opción más adecuada según la información del texto.**

1 En Little Italy…
   a) ya no viven italianos. ☐
   b) todavía viven algunos italianos. ☐
   c) viven algunos italoamericanos. ☐

2 Todavía hay muchos restaurantes italianos…
   a) pero casi todos los propietarios son chinos. ☐
   b) pero la mayoría de los camareros son hispanos. ☐
   c) y los trabajadores son italoamericanos. ☐

3 El barrio es conocido…
   a) porque Madonna es de Little Italy. ☐
   b) por la Mafia. ☐
   c) porque fue el escenario de muchas películas. ☐

4 Actualmente, Little Italy es un barrio…
   a) turístico. ☐
   b) peligroso. ☐
   c) mafioso. ☐

5 Larry Gagliardotto…
   a) lleva dos décadas viviendo en Little Italy. ☐
   b) tiene un acento muy especial. ☐
   c) es chino-italiano, pero solo habla inglés. ☐

Cada vez más **Little Italy**

El barrio de Nueva York, idealizado por las películas de mafiosos, hace tiempo que dejó de ser italiano.

BÁRBARA CELIS

Los neoyorquinos saben bien que el barrio de Little Italy, idealizado por Hollywood en decenas de películas sobre mafiosos, hace décadas que dejó de ser italiano. Y las cifras del último censo son claras: de los 8600 residentes, no hay ni uno nacido en Italia. La razón es obvia: la inmigración hoy tiene otros pasaportes. Pero tampoco quedan muchos italoamericanos. Solo son unos 2000, frente a los más de 10 000 que había oficialmente a mediados del siglo pasado. […]

Las cuatro manzanas que aún pueden llamarse italianas viven sobre todo de alimentar las apariencias: es prácticamente imposible encontrar un chef italiano en restaurantes con nombres como La Mela o Il Palazzo, y hasta en locales como el célebre Ferrara Caffé o el Caffé Roma la mano de obra es hispana. «El local aún está en manos de la familia original, pero aquí todos los que trabajamos hablamos español», explican Ramón y Yaniris, dos de los camareros del elegante y decadente Caffé Roma, en la esquina de Broome y Mulberry, con un siglo de vida. Ambos, además, residen desde hace años en este barrio, que Ramón, dominicano, ha visto transformarse aceleradamente. […]

Ávidos por conocer aquellas calles en las que Robert de Niro y Harvey Keitel aprendían el oficio de gánster en películas como *Malas calles*, de Martin Scorsese, los turistas siguen acudiendo para saborear la historia de un barrio que los chinos comenzaron a colonizar en los años sesenta, cuando cruzaron la calle Canal, hasta entonces *la frontera*, y abrieron una tienda de esmóquines en Elisabeth Street. […] Con su chaqueta de cuero y ese inconfundible acento, Frank Aquilino, de 64 años, acaba de entrar en el Mulberry's Bar, antes conocido como el Tony's, abierto, desde 1908. Viene simplemente a saludar a Larry Gagliardotto, uno de los *managers* de este local de bellos suelos de mosaico, paredes amarillentas con más de un siglo de nicotina a cuestas y fotos desvaídas de Frank Sinatra y otros italoamericanos célebres, incluida Madonna, que utilizó el local para grabar uno de sus primeros videos. Gagliardotto, de ojos rasgados y cuerpo fornido, es un producto inequívoco de la transformación que ha sufrido el barrio: «Soy chino-italiano, aunque no sé hablar ninguno de los dos idiomas. Nací en Little Italy, crecí en Brooklyn, pero trabajo en este bar desde hace casi dos décadas».

Extraído de www.elpais.com

Total: _____ / 10 puntos

2. PRODUCCIÓN ESCRITA

(100 palabras, aproximadamente)

Describe en un blog cómo es tu barrio u otro barrio que conoces.

Incluye:

- descripción general del barrio
- gente que vive en él
- el barrio antes y ahora
- algo especial o destacable

▶ EVALUACIÓN DE TU PRODUCCIÓN ESCRITA

- **Lengua** (___ / 4 puntos)
- Léxico: vocabulario relacionado con lugares de interés, historia y multiculturalidad.
- Gramática: pretérito imperfecto, *ya no / todavía*

- **Contenido** (___ / 4 puntos)
- Descripción general del barrio
- Gente que vive en él
- El barrio antes y ahora
- Algo especial o destacable

- **Formato: blog** (___ / 2 puntos)
- ¿Has incluido un título?
- ¿Has incluido el nombre del autor?

Total: _____ / 10 puntos

 3. PRODUCCIÓN ORAL (expresión)

(Mínimo, dos minuto)

Habla sobre una época de la historia (puede ser también una década).

Incluye:

- sitúa la época (dónde y cuándo)
- da información sobre la historia o la política
- da información sobre la vida de la gente
- compara la época con la actualidad

▶ EVALUACIÓN DE TU PRODUCCIÓN ORAL

- **Lengua** (___ / 4 puntos)
- Léxico: variado y correcto
- Gramática: pretérito imperfecto y presente histórico

- **Contenido** (___ / 4 puntos)
- Dónde y cuándo
- Información histórica o política
- Información sobre la vida de la gente
- Compara la época con la actualidad

- **Expresión** (___ / 2 puntos)
- Hablas con fluidez
- Tienes una buena pronunciación y entonación

Total: _____ / 10 puntos

 4. COMPRENSIÓN ORAL

 Escucha esta presentación de una alumna de un liceo de Montevideo sobre la vida en Uruguay a principios del siglo XIX. Anota un aspecto o información sobre cada uno de estos temas.

1 Educación _____
2 Diversión _____
3 Medios de comunicación _____
4 Religión _____
5 Comida _____

Total: _____ / 10 puntos

Total: _____ / 50 puntos

Mi progreso

Valora tu progreso después de esta unidad.

Mis habilidades	
- Hablar, entender y escribir sobre historia, política y sociedad, y migración	
- Escribir y hacer una presentación	
Mis conocimientos	
- Léxico relacionado con historia, política y migraciones	
- Hablar de hechos históricos	
- Describir y recordar el pasado	
- El hiato	
- Información sobre Uruguay y las corrientes migratorias	
Soy más consciente:	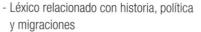
- De la influencia de las migraciones en las culturas	
- De los diferentes orígenes que tenemos	
- De la importancia del trabajo en equipo	

 Bien   Adecuado   Mal

Pintura

1 Mira el cuadro y completa la descripción.

这幅画传达了美学。

✓ En primer plano ✓ siento que ✓ La estética del cuadro transmite ● El cuadro muestra ✓ Me parece que ● Me recuerda ✓ En el fondo – background
remember

(1) *El cuadro muestra* un paisaje muy tranquilo. (2) _en primer plano_ se observa un río, y a las orillas del río, en ambos lados, hay un bosque. (3) _Me parece que_ es otoño, por las hojas de los árboles flotando en el río. (4) _en el fondo_ vemos un cielo azul casi sin nubes. Me gusta mucho el cuadro porque (5) _la estética del cuadro transmite_ mucha calma y (6) _me recuerda_ te puedes relajar en un lugar como este. (7) _____ mucho al lugar donde vivía en mi infancia. (8) _Siento que_ es muy bonita, por la naturaleza que muestra y por las formas.

2 (46) Escucha la descripción anterior y comprueba tus respuestas.

3 Elige una de las obras y descríbesela a tu compañero. Después, elige una obra diferente y escribe la descripción.

#2. El obje es una fotografía de una niña. La niña está triste. Nada en el fondo.
sad.

4 Lee el blog dedicado al artista hondureño José Antonio Velásquez y contesta a las preguntas.

1 ¿Por qué se trasladó Velásquez a la costa norte de Honduras?
Porque él busca de mejores condiciones de vida.

2 ¿Qué significó para él San Antonio de Oriente?
Es la inspiración muy importante.

3 Además de pintar, ¿qué hizo Velásquez en este pueblo hondureño?
La idea de primitivista.

4 ¿Qué dejó a su muerte?
Él dejando un cuadro incompleto

El pintor más importante de Honduras

José Antonio Velásquez nació en Caridad, Honduras, en 1906. Es el pintor más importante de Honduras. Después de la muerte de sus padres, Velásquez se trasladó a la costa norte de Honduras en busca de mejores condiciones de vida, y posteriormente se mudó a San Antonio de Oriente, un pequeño lugar localizado a unos treinta kilómetros de Tegucigalpa, capital de Honduras. Velásquez llegó a amar tanto a este pueblo que este se convirtió en la inspiración de la mayor parte de sus obras y fue su alcalde en tres períodos. José Antonio Velásquez fue considerado el primer pintor primitivista de América. Por invitación de la Unión Panamericana, Velásquez expuso sus obras en 1954 en la ciudad de Washington. Después de esto, la fama de Velásquez se expandió, y sus obras también fueron expuestas en un buen número de países. Falleció en 1983, dejando un cuadro incompleto.

Extraído de www.latinamericanart.com

5 ¿Qué significan las señales? Elige una frase para cada señal.

a Prohibido usar el ordenador. ☐ *3*
b Se prohíbe entrar con comida. ☐ *5*
c No está permitido fumar. ☐ *6*
d Prohibido pasar con cinturones. ☐ *4*
e No se permiten las cámaras de vídeo. ☐ *1*
f Está prohibido entrar con bebidas. ☐ *2*

1   2   3   4   5   6

6 ¿Dónde puedes encontrar estas señales? Coméntalo con tu compañero.

La 2 la puedo encontrar en un lugar público. El hospital. El museo

7 ¿Conoces todas estas señales? Escribe en tu cuaderno qué significan. Utiliza las siguientes frases.

Está prohibido / permitido
Prohibido ● Se prohíbe
no se permite

Está permitido pasar a bicicleta. *Prohibido la música.* *Se permite red* *se prohibido la foto.* *No se permite la mobile con red.*

1   2   3   4   5   6

Está prohibido pasar a bicicleta. *Se permitido pasar.* *no se alcohol permite* *Está prohibido el fuego.* *Prohibido bebidas caliente (热).* *No permite perras.*

7   8   9   10   11   12

Literatura

8 Completa el cuadro.

		yo	tú	él, ella, usted	nosotros/-as	vosotros/-as	ellos/-as, ustedes
PRETÉRITO INDEFINIDO	cantar	canté	cantaste	cantó	cantamos	cantasteis	cantaron
	ir	fui	fuiste	fue	fuimos	fuisteis	fueron
PRETÉRITO IMPERFECTO	cantar	cantaba	cantabas	~aba	~abamos	~abais	~aban
	ir	iba	ibas	iba	íbamos	ibais	iban

9 Completa las frases con el pretérito imperfecto o el indefinido.

1 Estaba tranquilo en casa cuando *llegaron todos mis amigos para celebrar mi cumpleaños* (llegar-amigos-celebrar cumpleaños).
2 Salí con un abrigo porque *hacía frío y comenzaba* (hacer frío y comenzar a nevar).
3 Me encontraba fatal, así que *decidía* (decidir-ir-médico).
4 Mientras comíamos en un restaurante en Barcelona, _____ (ver a-futbolista famoso).
5 Me encontré con un amigo de la infancia mientras *salía* (salir-concierto-Alejandro Sanz).
6 Me caí por las escaleras y me rompí el pie mientras *hablaba* (hablar-amigo-móvil).

10 Elige la opción correcta.

Cuando **tenía** / **tuve** 15 años, **viajaba** / **viajé** con mi colegio para hacer un intercambio a la ciudad de Valencia. Todos los días, **me levanté** / **me levantaba** muy temprano, **desayunaba** / **desayuné** en la casa de mi nueva familia, **iba** / **fui** a la escuela de español donde **tuve** / **tenía** clases de 9:00 a 12:30. Después, **comí** / **comía**, casi siempre ¡carne! y **practicaba** / **practiqué** deportes o **visité** / **visitaba** la ciudad. El último día, mientras **estuve** / **estaba** en un centro comercial, **conocí** / **conocía** a un escritor famoso que **presentó** / **presentaba** su último libro. Todos **compramos** / **comprábamos** el libro. Todo el viaje **era** / **fue** una experiencia inolvidable y **aprendía** / **aprendí** mucho de las culturas española y valenciana.

11 **Escucha y lee a continuación cuatro fragmentos de obras literarias. Observa la diferencia de entonación, ¿cuáles son parte de un poema y cuáles de un relato? Coméntalo con un compañero.**

Conjuro entre hierbas sin nombre **A**

Está bien por la Juana,
La Juana Torres;
La que hacía crecer la ruda y el misterio.
La enemiga de Dios y del Infierno.
Ella tuvo la flor de los amantes.
El castillo en el aire…

José Roberto Cea (escritor salvadoreño)

EL GRILLO MAESTRO **B**

Allá, en tiempos muy remotos, un día de los más calurosos del invierno, el director de la Escuela entró sorpresivamente al aula en que el Grillo daba a los Grillitos su clase sobre el arte de cantar, precisamente en el momento de la exposición en que les explicaba que la voz del Grillo era la mejor y la más bella entre todas las voces…,

Augusto Monterroso (escritor de nacionalidad guatemalteca, nacido en Honduras)

EN EL JARDÍN DE TUS OJOS HACIENDO PASTAR CONEJITOS DE AZÚCAR **C**

No la reconocí. [...] Tal como apareció, exactita, con esos ojos suyos tan fascinantes, por la esquina oscura donde dormían los escombros de la tienda Moda de París. Desde allí la vi venir, justo cuando entraba a la calle Cervantes, en donde yo me encontraba parado…

Javier Abril Espinoza (escritor hondureño)

---

4 Canción que te hizo dormir **D**

La noche del mundo:
¡qué largos cabellos!…
Los suelta en la torre,
la torre del viento.

Los peina en el valle,
los trenza en el cerro,
los abre en las ramas
frías del almendro.

Claudia Lars (escritora salvadoreña)

---

12 ¿De qué hablan los fragmentos de la actividad anterior? Escribe la letra que corresponde.

1 Se refiere a una persona que le parece muy atractiva y que encontró en la calle. **D**

2 Es el principio de una historia en la que los animales son los protagonistas. **C**

3 Compara la noche con el cabello de una mujer. **A**

4 Habla sobre una mujer con mucha personalidad. **B**

13 Lee el fragmento del cuento de Julio Cortázar *La Casa Tomada* y relaciona los párrafos con los usos del pretérito imperfecto e indefinido.

A Descripción del espacio físico o de los hábitos de los personajes (pretérito imperfecto)

B Sucesión de acciones (pretérito indefinido)

C Descripción y acción (pretérito imperfecto / pretérito indefinido)

1 **A** (La casa) guardaba los recuerdos de nuestros bisabuelos, el abuelo paterno, nuestros padres y toda la infancia.

2 **C** El comedor, [...] la biblioteca y tres dormitorios grandes quedaban en la parte más retirada, la que mira hacia Rodríguez Peña. Solamente un pasillo con su maciza puerta de roble aislaba esa parte del ala delantera, donde había un baño, la cocina, nuestros dormitorios y el living central, al cual comunicaban los dormitorios y el pasillo. Se entraba a la casa por un zaguán con mayólica, y la puerta cancel daba al living.

3 **B** [...] Irene y yo vivíamos siempre en esta parte de la casa, casi nunca íbamos más allá de la puerta de roble.

4 **A** Yo andaba un poco perdido a causa de los libros, pero por no afligir a mi hermana me puse a revisar la colección de estampillas de papá, y eso me sirvió para matar el tiempo.

5 **A** Fui a la cocina, calenté la pavita, y cuando estuve de vuelta con la bandeja del mate le dije a Irene:

6 **C** Tuve que cerrar la puerta del pasillo.

14 Escribe en tu cuaderno un breve relato de un viaje que hiciste o de unas vacaciones. Utiliza el pretérito imperfecto y el indefinido.

Incluye:
- dónde fuiste
- cómo era el lugar
- cuándo fuiste
- qué hacías todos los días
- cómo fue la experiencia

Música

15 Completa el mapa mental con los tipos de música que conoces.

TIPOS DE MÚSICA

16 Completa estas oraciones sobre tu clase de español.

todos • ninguno • algunas • muchos • la mayoría de

En mi clase de español:
1 _____ los alumnos estudian mucho.
2 _____ actividades son más difíciles, por ejemplo, las actividades de pronunciación.
3 _____ somos de países diferentes.
4 _____ de nosotros es experto en español.
5 ¡A _____ nos gusta mucho el profesor!

17 Lee el título del artículo de la actividad siguiente. ¿Crees que la música puede influir en una enfermedad como el cáncer? Coméntalo con tu compañero.

18 Lee el artículo y marca si las afirmaciones son verdaderas (V) o falsas (F).

1 Algunas artes musicales pueden mejorar aspectos físicos y psicológicos de los enfermos de cáncer. ☐
2 Muchos artistas de todo el mundo están involucrados en el espectáculo *Danza en Concierto*. ☐
3 Todas las ciudades importantes de España han realizado el programa. ☐
4 El programa no está destinado a ningún niño enfermo de cáncer. ☐
5 La mayoría de los estudios que existen muestran el beneficio de la terapia musical. ☐
6 En *Danza en concierto* han elegido muchas canciones con diferentes estilos. ☐

«La terapia musical, por el arte y la emoción, mejora al enfermo oncológico*»

J. MORÁN

Arte y emoción, dos conceptos combinados que se hallan tanto en las disciplinas de la música –«canto, *ballet* clásico, danza, interpretación coral»–, como «en la propia medicina», apuntó ayer Luis Olay, jefe del departamento de Oncología y Radioterapia del Hospital Universitario Central de Asturias (HUCA).

Olay presentó el programa «El desarrollo artístico como terapia en el paciente oncológico», sobre la base de que las artes musicales pueden inducir a una mejoría en ciertos aspectos «físicos y psicológicos del enfermo de cáncer». A Olay le acompañaron en la presentación Viengsay Valdés –desde 2001, primera bailarina del Ballet Nacional de Cuba–, y Tina Gutiérrez –soprano y directora de la Fundación Cultural Don Pelayo. [...] Ambas artistas hablaron del espectáculo benéfico *Danza en Concierto* [...].

Luis Olay describió un «ambicioso programa que aún no se ha realizado en ningún sitio» y que consiste en «medir el efecto de la música y del arte escénico en la mente y el cuerpo del ser humano», y particularmente, «en todo tipo de pacientes oncológicos, desde los más pequeñitos hasta el paciente mayor con su enfermedad en evolución». Existen «numerosos estudios que muestran los beneficios de todas las artes que rodean a la música, desde la audición pasiva hasta las clases de baile, de coro o el teatro musical».

[...] Tina Gutiérrez resaltó la gran capacidad de Valdés «para causar una honda emoción», y explicó que «para *Danza en concierto* hemos elegido canciones de distintos estilos, y muy dispares, dirigidos a muchos tipos de público para que, al menos, una canción les llegue al alma».

*Enfermo oncológico: enfermo de cáncer

Extraído de www.lne.es

19 Con tu compañero, escribe en el mapa de los países que hablan español como lengua oficial algunos estilos musicales típicos. Busca información en internet si lo necesitas.

20 Añade el pronombre interrogativo o exclamativo correspondiente.

1 ¡_____ bonito día! Voy a salir a correr por el parque.
2 No me dijiste _____ se llama tu nuevo novio.
3 No sé _____ siempre estás aburrido.
4 ¿_____ vive tu prima?
5 Me sorprendió _____ bailaba, ¡es una bailarina increíble!
6 ¿_____ va al viaje de fin de curso?
7 No sé _____ gente va a venir a cenar.
8 El director siempre me pregunta _____ es mi apellido.

21 Este fragmento está basado en una entrevista real al escritor argentino Jorge Luis Borges. Completa los espacios con los siguientes pronombres interrogativos y exclamativos.

qué (x2) ● cuándo ● cómo ● dónde ● quién

ENTREVISTADORA: ¡Empecemos por el principio! ¿_____ y _____ nació?

J. L. BORGES: Nací en Buenos Aires el 24 de agosto del año 1899. Esto me agrada porque me gusta mucho el siglo XIX.

E.: ¿_____ significa la literatura para usted?

J. L. B.: […] yo sabía, de un modo misterioso e indudable, que mi destino era literario.

E.: ¿_____ recibe el hecho que todos saben _____ es usted en la calle?

J. L. B.: ¡_____ pregunta difícil! […] Siento amistad por ellos y siento gratitud.

22 Esta es la letra de uno de los boleros más conocidos del cantante y compositor mexicano Armando Manzanero. Léela y complétala con los versos que faltan. Después, puedes buscarla en internet y comprobar las respuestas.

al mar oí cantar ● la otra noche vi brillar
si me extrañas o me engañas ● que un ave enamorada

ESTA TARDE VI LLOVER
(Armando Manzanero)

Esta tarde vi llover,
vi gente correr
y no estabas tú.

(1) _____
un lucero azul
y no estabas tú.

La otra tarde vi
(2) _____
daba besos a su amor
ilusionada
y no estabas.

Esta tarde vi llover,
vi gente correr
y no estabas tú.

El otoño vi llegar,
(3) _____
y no estabas tú.
Ya no sé cuánto me quieres,
(4) _____
solo sé que vi llover,
vi gente correr
y no estabas tú.

Lengua y comunicación

Marca la respuesta correcta.

1 La foto ____ un hombre con un niño.
- a) ☐ transmite
- b) ☐ muestra
- c) ☐ dice

2 ____ derecha, vemos un bosque muy grande.
- a) ☐ A la
- b) ☐ De la
- c) ☐ La

3 Está ____ fumar en las instalaciones.
- a) ☐ prohibido
- b) ☐ prohibida
- c) ☐ prohíbe

4 No está ____ usar móviles o cámaras fotográficas.
- a) ☐ permite
- b) ☐ prohíbe
- c) ☐ permitido

5 ____ prohíben los tacones.
- a) ☐ Está
- b) ☐ Se
- c) ☐ Están

6 En el ____ de esta pintura hay un río y un camino.
- a) ☐ fondo
- b) ☐ izquierda
- c) ☐ derecha

7 Mientras ____ en la ducha, escuché un ruido muy raro.
- a) ☐ estuve
- b) ☐ estaba
- c) ☐ estoy

8 El verano pasado ____ a uno de los mejores chefs de Barcelona.
- a) ☐ conocí
- b) ☐ conocía
- c) ☐ he conocido

9 Cuando al final ____ mi hermano, mi madre estaba muy preocupada.
- a) ☐ llegamos
- b) ☐ llegáis
- c) ☐ llegó

10 ____ tanto calor que decidí irme a la playa muy temprano.
- a) ☐ Hace
- b) ☐ Hacía
- c) ☐ Hizo

11 ____ caminábamos, nos divertíamos muchísimo hablando de nuestra época en el colegio.
- a) ☐ Como
- b) ☐ Mientras
- c) ☐ Así que

12 Me sorprendió ____ pintaba esa niña tan pequeña.
- a) ☐ cómo
- b) ☐ quién
- c) ☐ como

13 No sabe ____ es su profesora de francés.
- a) ☐ quien
- b) ☐ que
- c) ☐ quién

14 La ____ de los alumnos disfrutan mucho de la clase de arte.
- a) ☐ cantidad
- b) ☐ mayoría
- c) ☐ grupo

15 ____ chicos de mi clase prefieren el pop.
- a) ☐ Muchas
- b) ☐ Algunas
- c) ☐ Muchos

16 A ____ mi familia le gusta la salsa.
- a) ☐ toda
- b) ☐ todo
- c) ☐ todas

17 ____ gente piensa que la música es la mejor medicina.
- a) ☐ Mucha
- b) ☐ Muchas
- c) ☐ Mucho

18 Uno de los relatos más breves en español es de Monterroso: «Cuando ____, el dinosaurio todavía ____ allí».
- a) ☐ despertaba / estuvo
- b) ☐ despertó / estaba
- c) ☐ han despertado / estaba

19 El año pasado ____ ir a Alemania, pero al final decidí viajar a Austria.
- a) ☐ quería
- b) ☐ quiero
- c) ☐ he querido

20 Cuando ____ a Honduras y El Salvador por primera vez, tenía 25 años.
- a) ☐ ha viajado
- b) ☐ viajaba
- c) ☐ viajé

Total: _____ / 10 puntos

Destrezas

 1. COMPRENSIÓN ESCRITA

1 Lee el blog y señala la respuesta correcta.
(___ / 2 puntos)

El texto:

1 Describe sentimientos con respecto al arte. ☐
2 Informa sobre lo que significa arte. ☐
3 Ayuda a persuadir al lector para comprar
  obras de arte. ☐
4 Analiza las distintas manifestaciones artísticas. ☐

2 Lee la definición de *arte* del primer párrafo. ¿Qué expresión significa lo mismo que *música*? (___ / 2 puntos)

_____

3 Observa la palabra en negrita «mismo» en el segundo párrafo. ¿A qué se refiere? (___ / 2 puntos)

_____

4 Lee el tercer párrafo y contesta a la pregunta: ¿qué pasó en el siglo XVIII? (___ / 2 puntos)

_____

5 Lee el último párrafo y escribe al menos dos de las razones por las cuales hay una similitud en la definición de *arte* y *ciencia*. (___ / 2 puntos)

_____

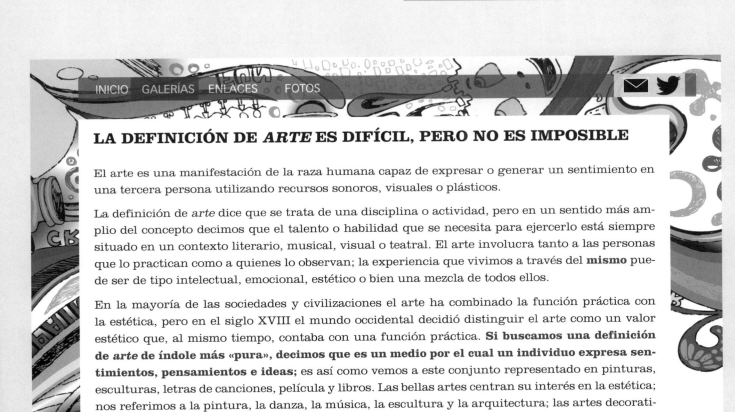

INICIO   GALERÍAS   ENLACES   FOTOS

LA DEFINICIÓN DE *ARTE* ES DIFÍCIL, PERO NO ES IMPOSIBLE

El arte es una manifestación de la raza humana capaz de expresar o generar un sentimiento en una tercera persona utilizando recursos sonoros, visuales o plásticos.

La definición de *arte* dice que se trata de una disciplina o actividad, pero en un sentido más amplio del concepto decimos que el talento o habilidad que se necesita para ejercerlo está siempre situado en un contexto literario, musical, visual o teatral. El arte involucra tanto a las personas que lo practican como a quienes lo observan; la experiencia que vivimos a través del **mismo** puede ser de tipo intelectual, emocional, estético o bien una mezcla de todos ellos.

En la mayoría de las sociedades y civilizaciones el arte ha combinado la función práctica con la estética, pero en el siglo XVIII el mundo occidental decidió distinguir el arte como un valor estético que, al mismo tiempo, contaba con una función práctica. **Si buscamos una definición de *arte* de índole más «pura», decimos que es un medio por el cual un individuo expresa sentimientos, pensamientos e ideas;** es así como vemos a este conjunto representado en pinturas, esculturas, letras de canciones, película y libros. Las bellas artes centran su interés en la estética; nos referimos a la pintura, la danza, la música, la escultura y la arquitectura; las artes decorativas suelen ser utilitarias, es decir «útiles» específicamente.

Aunque nos resulte difícil creerlo, la definición de *arte* hace un paralelismo con la ciencia; se asegura que tanto el arte como la ciencia requieren de habilidad técnica: tanto los artistas como los científicos tratan siempre de ofrecer un orden partiendo de sus experiencias. Ambos pretenden comprender el universo en el que habitan y se desarrollan, hacer una valoración de él y transmitir lo que interpretan a otros individuos [...].

Extraído de www.abcpedia.com

Total: _____ / 10 puntos

2. PRODUCCIÓN ESCRITA

(100 palabras, aproximadamente)

Hiciste un intercambio el año pasado en un país hispano. Escribe tu blog de viaje.

Incluye:
- dónde y cuándo viajaste
- qué hacías durante el intercambio
- algo curioso que te ocurrió en el viaje
- cómo fue tu experiencia

▶ EVALUACIÓN DE TU PRODUCCIÓN ESCRITA

- **Lengua** (___ / 4 puntos)
- Léxico: relacionado con la narración o el relato de un viaje
- Gramática: pretérito imperfecto e indefinido, conectores

- **Contenido** (___ / 4 puntos)
- Dónde y cuándo viajaste
- Qué hacías durante el intercambio
- Algo curioso que te ocurrió mientras estabas en el viaje
- Cómo fue tu experiencia

- **Formato: blog** (___ / 2 puntos)
- ¿Hay título?
- ¿Incluyes quién escribe el blog?

Total: _____ / 10 puntos

3. PRODUCCIÓN Y COMPRENSIÓN ORAL (interacción)

(Mínimo, un minuto cada uno)

Con un compañero, habla de la música que escuchas.

Incluye:
- qué música escuchas y por qué
- cuándo y dónde la escuchas
- tu experiencia en un concierto: cuándo fuiste, cómo era el lugar
- qué te transmite o comunica la música en tu vida

▶ EVALUACIÓN DE TU PRODUCCIÓN ORAL Y DE LA COMPRENSIÓN ORAL DE TU COMPAÑERO

- **Lengua** (___ / 4 puntos)
- Léxico: relacionado con la música
- Gramática: presente, pretérito imperfecto / indefinido

- **Contenido** (___ / 4 puntos)
- Qué música escuchas y por qué
- Cuándo y dónde la escuchas
- Tu experiencia en un concierto, cuándo fuiste, cómo era el lugar
- Qué te transmite o comunica la música en tu vida

- **Expresión** (___ / 2 puntos)
- Hablas con fluidez
- Tienes una buena pronunciación y entonación

- **Interacción** (___ / 10 puntos)
- Comprendes lo que dice tu compañero
- Respondes de forma coherente a lo que dice tu compañero

Total: _____ / 20 puntos

Total: _____ / 50 puntos

Mi progreso

Valora tu progreso después de esta unidad.

Mis habilidades	
- Hablar, entender y escribir sobre pintura, literatura y música	
- Entender y escribir un artículo, un blog, y una señal	

Mis conocimientos	

- Las manifestaciones artísticas: la pintura, la literatura y la música
- Contraste pretérito indefinido / pretérito imperfecto
- *Está prohibido / permitido, prohibido, se prohíbe, no se permite* + infinitivo
- Cuantificadores
- Acentuación de pronombres interrogativos y exclamativos
- Información sobre Honduras y El Salvador y sus manifestaciones artísticas

Soy más consciente	

- De las manifestaciones artísticas; en especial, la pintura, la literatura y la música
- De la importancia del arte en mi vida diaria
- De la función estética y comunicativa del arte

 Bien   Adecuado   Mal

Grandes inventos del pasado

1 Completa la tabla.

verbos	sustantivos
construir	la construcción
	el uso
	la utilización
	la contribución
	la patente
	la fabricación
	la invención

2 ¿Te parece que estas frases son verdaderas (V) o falsas (F)? Después, lee el texto y compruébalo.

1 Los orígenes del cine tuvieron lugar en América. ☐

2 Las voces de los actores han sido siempre muy importantes. ☐

3 Al principio no había color en las películas. ☐

4 Durante la película se interpretaba música en directo. ☐

5 A los inmigrantes no les gustaba el cine porque no lo entendían. ☐

6 La industria del cine se trasladó de la costa este a la oeste de Estados Unidos. ☐

7 Los actores del cine mudo tuvieron mucho éxito con el cine sonoro. ☐

8 Muchos músicos se quedaron sin trabajo con el cine sonoro. ☐

La historia del cine

El cine o cinematógrafo, como se llamaba al principio, comenzó como espectáculo en 1895, exactamente un 28 de diciembre en París. Sus creadores fueron los hermanos Lumière. En un principio el cine era mudo, es decir, no tenía sonido directo. No obstante, las proyecciones se acompañaban de música en vivo, normalmente de un pianista. En aquella época las imágenes eran todavía en blanco y negro.

A principios del siglo XX comenzaron a abrirse pequeños estudios cinematográficos. En Estados Unidos el cine tuvo un gran éxito, sobre todo en las grandes ciudades, como Nueva York, llenas de inmigrantes que no sabían inglés y que no podían entender otros tipos de manifestaciones culturales, como el teatro, la radio o incluso la literatura. Para ellos, el cine mudo era una buena manera de entretenerse a partir de imágenes y música.

El negocio del cine empezó a ser interesante, pero Thomas Alva Edison, que tenía la patente del cinematógrafo, no quiso ceder los derechos de explotación a los productores independientes; por ese motivo muchos de ellos emigraron de Nueva York al oeste y buscaron un lugar ideal para rodar, y así nació Hollywood, en las soleadas tierras de California.

Los primeros experimentos con el sonido los hizo el físico francés Dèmeny en 1893. Pero no fue hasta 1918 cuando se patentó el sistema sonoro. A partir de entonces, se introdujeron grandes cambios en la técnica y la expresión cinematográficas. Algunas estrellas de cine de Hollywood de esa época perdieron su popularidad debido a que al público no le gustaban sus voces. El cine sonoro hizo desaparecer también a los músicos que acompañaban las proyecciones de las películas y, al mismo tiempo, el silencio se convirtió en un nuevo elemento dramático desconocido por el cine mudo.

Elaborado con información extraída de la Wikipedia.

3 Completa las frases con las siguientes palabras.

aparato ● máquina ● motor ● sistema ● moderno
primero ● revolucionario ● eléctricas

1 Bell fue el _____ en patentar el teléfono, aunque él no fue su inventor.

2 La _____ de vapor fue el invento más importante de la Revolución Industrial.

3 Este _____ sirve para controlar la temperatura de alguien que tiene fiebre.

4 Los frigoríficos produjeron un cambio _____ en los hogares para siempre.

5 El cine _____ es, con pocas excepciones, en color.

6 El canal de Panamá tiene un _____ de esclusas.

7 La potencia del _____ de los automóviles se cuenta en caballos.

8 Las máquinas de afeitar _____ no utilizan agua.

4 Completa la tabla.

presente	p. perfecto	p. indefinido	p. imperfecto
es	ha sido	fue	era
tenemos			
hay			
invento			
aparece			
pide			

5 Añade estas frases en pretérito imperfecto al texto en los lugares correspondientes.

a era muy difícil usar espuma y agua

b los soldados utilizaban esta maquinilla regularmente

c que tenía un motor incluido

d quien trabajaba en las minas de Alaska

e que proporcionaba seguridad y protección durante el afeitado

f estas se oxidaban muy rápidamente y tenían que cambiarse con frecuencia

La maquinilla de afeitar

Debemos la primera máquina de afeitar eléctrica al soldado norteamericano Jacob Schick, (1) ____. Debido al clima tan frío, de temperaturas bajo cero, (2) ____ y por eso buscó otra forma de afeitarse. La primera máquina, (3) ____, apareció en 1928.

La maquinilla de afeitar (4) ____ la inventó el estadounidense King Camp Gillette a finales del siglo XIX. Tuvo un gran éxito porque durante la Primera Guerra Mundial (5) ____. Se utilizaron alrededor de 3,5 millones de maquinillas y 32 millones de cuchillas de afeitar.

Gillette fabricó cuchillas de acero al carbono hasta los años sesenta, pero (6) ____. En 1965, la compañía británica Wilkinson Sword empezó a vender cuchillas de acero inoxidable. De esta forma, esta compañía capturó rápidamente los mercados británico y europeo, forzando a Gillette a fabricar cuchillas de acero inoxidable para poder competir.

Basado en información extraída de Wikipedia

6 (48) **Escucha este** *podcast* **y completa el texto.**

Hoy en día no nos podemos imaginar nuestras vidas sin los coches, también llamados automóviles. Pero, ¿cómo (1) _____ todo? Los primeros automóviles, aunque todavía no se llamaban así, aparecieron en el siglo XVIII y (2) _____ de vapor. Sin embargo, fue en el siglo XIX cuando se (3) _____ el primer motor con combustión de gasolina. Aunque ya se (4) _____ en diversos países, en 1908 el estadounidense Henry Ford (5) _____ a producir automóviles en una cadena de montaje. Este nuevo sistema permitió la fabricación en masa. Y a partir de ahí, todo (6) _____ cambios e innovaciones hasta tener los coches de hoy en día. Pero ¿qué nos espera en el futuro? ¿Coches que conducen solos, que pueden volar, o que funcionan con otro tipo de energía? Esto todavía está por ver…

Tecnología actual

7 **Contesta a estas preguntas con un compañero. Después, lee este texto sobre los teléfonos móviles y comprueba tus respuestas.**

1 ¿Cuándo se crearon los primeros teléfonos móviles?
2 ¿Cómo se llamaba la primera compañía de teléfonos móviles?
3 ¿Cuál era el problema de los primeros teléfonos?

Los teléfonos móviles

Durante muchos años se intentó crear un teléfono sin cables para poder tener movilidad. Landell de Moura, un cura e inventor brasileño, fue el primero en transmitir la voz por ondas de radio y patentó el transmisor de ondas, el teléfono inalámbrico y el telégrafo inalámbrico. Todo esto ocurrió a principios del siglo XX, pero su trabajo no fue conocido o reconocido, y podemos decir que los primeros logros tuvieron lugar a comienzos de la Segunda Guerra Mundial, cuando se tenía la necesidad de la comunicación a distancia. La compañía Motorola creó entonces un equipo llamado *Handie Talkie*. Estos primeros sistemas eran muy grandes y pesados, y se utilizaban casi exclusivamente dentro de los vehículos. Se tardaron varias décadas en conseguir un móvil ligero, del tipo de los

que utilizamos hoy en día. Se considera que fue la empresa telefónica Motorola la que, en 1983, creó el primer móvil.

Su uso ha causado una gran revolución en los sistemas de comunicación. Con la invención del SMS a través del teléfono móvil se introduce por primera vez la comunicación escrita en un aparato que en principio era para la comunicación oral. Y eso era solo el principio… La evolución del teléfono móvil ha permitido disminuir su tamaño y peso; desde el primer teléfono móvil, que pesaba 800 gramos, a los actuales, más compactos, ligeros y con muchas prestaciones. Ha sido a partir del siglo XXI cuando los teléfonos móviles han adquirido funcionalidades que van mucho más allá de llamar y recibir llamadas o mensajes; son pequeños ordenadores.

Basado en información extraída de Wikipedia

8 **Continúa el texto de los móviles añadiendo dos párrafos más sobre los teléfonos móviles en la actualidad.**

1 Primer párrafo: características

2 Segundo párrafo: uso

9 Escribe tres argumentos a favor de las TIC en el aula y tres en contra.

1 _____
2 _____
3 _____

1 _____
2 _____
3 _____

10 Completa las frases con los verbos del recuadro.

descargar ● conectar ● copiar ● colgar ● pegar
instalar ● cortar ● guardar ● crear

1 El documento es demasiado largo. Creo que tengo que _____ algunos párrafos.
2 Debes _____ tu proyecto si no quieres perderlo.
3 Puedes _____ un nuevo archivo para tener toda la gramática junta.
4 ¡Tienes que _____ el portátil antes de empezar a trabajar!
5 Para poder ver las fotos tienes que _____ la nueva versión.
6 Puedes _____ gratis el programa antivirus de internet.
7 Tienes que _____ el proyecto para el lunes en Moodle. Lo ha dicho la profesora.
8 No se puede _____ y _____ cualquier foto de internet, tienes que escribir la referencia.

11 Completa la tabla con los imperativos.

tú	vosotros
habla	
	abrid
escoge	
	colgad
escribe	
	haced
sal	
	decid
ve	
	comprobad

12 Añade el pronombre adecuado a estas frases.

me ● te (x2) ● le ● lo ● la ● os (x2)

1 Conécta_____ con tus amigos.
2 Senta_____ todos con la espalda recta.
3 Cómpra_____ el móvil, porque tú te lo mereces.
4 Da_____ el cable, por favor; yo ya no tengo batería.
5 Levanta_____ despacio y haced el ejercicio en parejas.
6 Enciende el ordenador y conécta_____ a internet.
7 Coge la silla y pon_____ en el medio de la habitación.
8 Escoge a un compañero y da_____ las instrucciones.

13 Estas instrucciones están desordenadas. ¿Puedes ponerlas en orden para una página web? Hay varias opciones.

- INSTALA EL PROGRAMA ☐
- ABRE UNA CUENTA ☐
- ACEPTA LAS CONDICIONES ☐
- DESCARGA LOS PDF ☐
- LEE LAS INSTRUCCIONES ☐
- ESCOGE LA LENGUA ☐
- PAGA CON TARJETA DE CRÉDITO ☐
- RELLENA LA FICHA CON TUS DATOS PERSONALES ☐

14 Pon este anuncio en tu cuaderno en segunda persona del plural (vosotros).

¿QUIERES CUIDAR TU NUEVO PORTÁTIL?
Las fundas **CONTRATODO** te pueden ayudar.

Abre nuestra página web
- Elige el color y el tamaño
- Compara precios
- Busca los demás complementos a las fundas
- Pruébala durante un mes
- Olvídate de los líquidos y los golpes
- Disfruta de tu portátil

15 Escribe cinco consejos para un alumno que quiere aprender español.

1 _____
2 _____
3 _____
4 _____
5 _____

La ciencia ficción

16 Escoge una película de ciencia ficción y escribe una pequeña sinopsis.

_____
_____
_____
_____

17 ¿Cuál es tu opinión sobre los robots? Escribe dos cosas buenas y dos malas.

Buenas

1 _____
2 _____

Malas

1 _____
2 _____

18 Lee el diálogo y coloca las respuestas apropiadas.

a Sí, toma; ¿azul?
b Sí, pero toma unas cuantas.
c Pues no, Marta: el trabajo lo imprimes tú. Yo me voy a la cafetería.
d Claro, ahora mismo.
e Marta, ¿qué has traído hoy a clase?

MARTA: ¿Me das una hoja de papel? Se me ha olvidado el cuaderno.
FELIX: (1) _____ .
MARTA: Oye, préstame también un boli, por favor. Tampoco tengo.
FÉLIX: (2) _____ .
MARTA: Ya sé que soy pesada, pero ayúdame con este ejercicio, es que no lo entiendo.
FÉLIX: (3) _____ .
MARTA: Félix, pásame el libro.
FÉLIX: (4) _____ .
MARTA: Ah, el trabajo, pero ¿me lo imprimes tú?, es que tengo hambre y me voy a la cafetería.
FÉLIX: (5) _____ .

19 (49) Escucha este programa de radio sobre los nuevos avances de la medicina e indica quién dice lo siguiente: la señora García (G) o el señor Romero (R).

1 Los ordenadores ayudan a predecir y evitar enfermedades. ☐
2 Las máquinas no lo pueden hacer todo. ☐
3 Hay que confiar en la ciencia. ☐
4 Las personas necesitan un trato personal. ☐
5 Las personas siempre tienen miedo a lo desconocido. ☐

20 Coloca en estas frases las tildes necesarias en: *mi, tu, el, se* y *si*.

1 ● Si tengo tiempo, le envío el documento esta noche.
　■ Gracias, se lo agradezco.
2 ● No se si voy a ir a la fiesta de Luis.
　■ Yo si que voy, se que el nos lo va a agradecer.
3 ● Mi móvil no funciona.
　■ Para mi que no tienes batería.
4 ● ¿Tu tienes un cable?
　■ ¡Pero si tienes uno en tu mochila!

21 ¿Conoces el sombrero panamá? Lee el texto y contesta a estas preguntas.

1 ¿Cómo es el sombrero?
2 ¿De dónde es el sombrero?
3 ¿Por qué se llama así?

El sombrero panamá

El sombrero de paja-toquilla (o simplemente panamá, o jipijapa) es un tradicional sombrero de color crema, con una cinta negra y de ala ancha. Se confecciona con las hojas trenzadas de la palmera. A pesar del nombre, los sombreros son originarios de Ecuador, donde también se fabrican; su nombre viene del hecho de que alcanzaron relevancia durante la construcción del canal de Panamá, cuando millares de sombreros fueron importados desde Ecuador para el uso de los trabajadores de la construcción. Cuando Theodore Roosevelt visitó el Canal, usó dicho sombrero, lo que aumentó su popularidad.

Extraído de www.es.wikipedia.org

Lengua y comunicación

Marca la respuesta correcta.

1 Alrededor del año 1857, Meucci ____ el primer teléfono.
a) ☐ inventó
b) ☐ contribuyó
c) ☐ apareció

2 La primera máquina de afeitar con motor incluido ____ en 1928.
a) ☐ utilizó
b) ☐ usó
c) ☐ apareció

3 James Watt ____ su máquina de vapor en 1769.
a) ☐ imprimió
b) ☐ contribuyó
c) ☐ patentó

4 La máquina de vapor fue un invento ____ para la industria.
a) ☐ eléctrico
b) ☐ revolucionario
c) ☐ comercial

5 El alemán Johannes Gutenberg ____ quien inventó la primera imprenta.
a) ☐ era
b) ☐ fue
c) ☐ ha sido

6 Los nuevos frigoríficos ____ mantener los alimentos fríos durante días.
a) ☐ podían
b) ☐ pudieron
c) ☐ han podido

7 La máquina de vapor ____ la industria en los siglos XVII y XVIII.
a) ☐ revolucionaba
b) ☐ revolucionó
c) ☐ ha revolucionado

8 En los últimos años, internet ____ nuestra forma de comunicarnos.
a) ☐ cambió
b) ☐ ha cambiado
c) ☐ cambiaba

9 El canal de Panamá ____ en 1914.
a) ☐ se inauguraba
b) ☐ se inauguró
c) ☐ se ha inaugurado.

10 El trabajo es demasiado largo. Creo que tengo que ____ algunas frases.
a) ☐ cortar
b) ☐ copiar
c) ☐ pegar

11 Para el martes, debéis ____ el trabajo en Moodle.
a) ☐ instalar
b) ☐ colgar
c) ☐ descargar

12 Acordaos de que tenéis que ____ los documentos.
a) ☐ guardar
b) ☐ conectar
c) ☐ instalar

13 Si quieres formar parte de nuestro grupo, primero ____ la ficha con tus datos.
a) ☐ rellenad
b) ☐ rellene
c) ☐ rellena

14 ____ el nuevo teléfono, te va a cambiar la vida.
a) ☐ Prueba
b) ☐ Pruebe
c) ☐ Prueben

15 Todos juntos, ____ los dos brazos a la vez.
a) ☐ levantad
b) ☐ levanta
c) ☐ levante

16 Este libro le va a gustar. Es un buen regalo. ____
a) ☐ Cómprasela.
b) ☐ Cómpraselo.
c) ☐ Cómpramelo.

17 ____ en la silla con los ojos cerrados.
a) ☐ Sentáis
b) ☐ Sentad
c) ☐ Sentaos

18 ____ a mí el cable, por favor, que está ahí, a tu lado.
a) ☐ Dale
b) ☐ Dame
c) ☐ Da

19 ● Pásame el pegamento.
■ ____
a) ☐ Sí, toma.
b) ☐ Sí, tome.
c) ☐ Sí, tomad.

20 ____ que voy a la playa con ____. Me apetece mucho.
a) ☐ Sí / él
b) ☐ Si / él
c) ☐ Sí / el

Total: _____ / de 10 puntos

Destrezas

 1. COMPRENSIÓN ESCRITA

1 **Relaciona estas frases con cada uno de los párrafos.** (___ / 7 puntos)

a Hace más de veinte siglos se construyó una especie de robot. ☐

b En muchas películas aparecen robots. ☐

c Lo que significa *robot*. ☐

d La mayoría de robots son parecidos al ser humano. ☐

e Los robots se utilizan en muchos campos. ☐

f Los robots hacen lo que ordena el ser humano. ☐

g Ya existen robots muy conocidos que realizan tareas muy útiles. ☐

2 **Busca en los párrafos 3 y 4 una palabra que signifique lo mismo en cada caso.** (___ / 2 puntos)

1 exacta _____

3 vieja _____

2 reaccionar _____

4 datan de _____

3 **Lee el párrafo 6 y contesta a la pregunta: ¿qué ventaja sobre las personas tiene el robot Riba II?** (___ / 1 punto)

Definición de ROBOT por SONIA TALAVERA

PÁRRAFO 1

Del inglés *robot*, que a su vez deriva del checo *robota* «prestación personal», un robot es una máquina programable que puede manipular objetos y realizar operaciones que antes solo podían realizar los seres humanos.

PÁRRAFO 2

El robot puede ser tanto un mecanismo electromecánico físico como un sistema virtual de *software*. Ambos coinciden en que dan la sensación de que cuentan con capacidad de pensamiento o resolución, aunque en realidad se limitan a ejecutar órdenes dictadas por las personas.

PÁRRAFO 3

Pese a que no existe una definición precisa del concepto, se suele considerar que un robot tiene la capacidad de imitar el comportamiento de los humanos o los animales. Existen robots humanoides, surgidos a partir de la segunda mitad del siglo XX, que pueden caminar, mover un brazo mecánico, manipular su entorno y hasta responder a los estímulos.

PÁRRAFO 4

La robótica moderna difiere de la antigua debido al lógico avance científico. Sin embargo, los primeros intentos de crear robots se remontan al siglo IV a. C., cuando el matemático griego Arquitas de Tarento logró construir un ave mecánica que funcionaba con vapor.

PÁRRAFO 5

Los robots, en la actualidad, se utilizan en el ámbito industrial (para montar piezas de diversos mecanismos, desplazar grandes pesos y otras tareas), en la medicina (para operar en partes de difícil acceso) y en el campo militar (para reducir las bajas humanas), entre otros sectores.

PÁRRAFO 6

Entre los robots más importantes que han ido surgiendo en los últimos años tendríamos que destacar, por ejemplo, a Riba II, que suele ejercer como enfermero ya que es de gran utilidad para ayudar a las personas que no pueden levantarse de la cama por sí mismas. Riba II tiene una estructura contundente y fuerte que permite que pueda sacar de la cama a los enfermos. De la misma forma, tampoco podemos olvidar la existencia de ATLAS. Este es un robot humanoide creado por el Pentágono en Estados Unidos que puede ejercer un papel fundamental en las situaciones de emergencia. Tiene la capacidad de realizar funciones que son muy peligrosas, además de excesivamente complicadas, para el ser humano.

PÁRRAFO 7

En el campo artístico, desde hace años, los robots han tenido un gran protagonismo. Así, por ejemplo, en el cine, algunos de ellos se han convertido ya en parte de nuestro acervo cultural. Este sería el caso de dos de los personajes más carismáticos y queridos de la saga *La guerra de las galaxias*: «C-3PO» y «R2-D2».

Extraído de www.definicion.de

Total: _____ / 10 puntos

2. PRODUCCIÓN ESCRITA

(100 palabras, aproximadamente)

Escribe un artículo sobre un invento importante en la historia.

Incluye:

- ¿quién lo inventó y cuándo?
- ¿qué había antes del invento?
- ¿qué características y ventajas tiene?
- ¿qué ha aportado el invento a la humanidad?

▶ EVALUACIÓN DE TU PRODUCCIÓN ESCRITA

- **Lengua** (___ / 4 puntos)
- Léxico: vocabulario relacionado con los inventos
- Gramática: los tiempos de pasado

- **Contenidos** (___ / 4 puntos)
- Quién y cuándo
- Antes del invento
- Características y ventajas
- Aportación a la humanidad

- **Formato: artículo** (___ / 2 puntos)
- ¿Has incluído un título? ¿Has escrito una introducción y una conclusión?
- ¿Has organizado el texto en párrafos y has usado conectores?

Total: _____ / 10 puntos

3. PRODUCCIÓN Y COMPRENSIÓN ORAL (interacción)

(Mínimo, un minuto cada uno)

Con un compañero, hablad de las películas o libros de ciencia ficción que conocéis.

Incluye:

- una pequeña sinopsis de la película o del libro
- por qué te gusta
- comenta la opinión de tu compañero sobre su película o su libro.
- recomienda a tu compañero la película o el libro.

▶ EVALUACIÓN DE TU PRODUCCIÓN ORAL Y DE LA COMPRENSIÓN ORAL DE TU COMPAÑERO

- **Lengua** (___ / 4 puntos)
- Léxico: vocabulario relacionado con la tecnología, las películas y la ciencia ficción
- Gramática: imperativo (para recomendar / aconsejar)

- **Contenido** (___ / 4 puntos)
- Resumir el argumento de una película
- Expresar gustos
- Reaccionar ante una opinión
- Recomendar una película o un libro

- **Expresión** (___ / 2 puntos)
- Hablas con fluidez
- Tienes una buena pronunciación y entonación

- **Interacción** (___ / 10 puntos)
- Comprendes lo que dice tu compañero
- Respondes de forma coherente a lo que dice tu compañero

Total: _____ / 20 puntos

Total: _____ / 50 puntos

Mi progreso

Valora tu progreso después de esta unidad.

Mis habilidades	
- Describir y contar hechos sobre el pasado	
- Dar instrucciones, consejos y anunciar un producto	
- Hacer peticiones	
- Escribir en un foro	
Mis conocimientos	
- Léxico relacionado con la tecnología	
- Algunos acentos diacríticos	
- Información sobre Panamá y la tecnología	
Soy más consciente	
- Del impacto de la tecnología en nuestras vidas	
- De nuestra responsabilidad ante la tecnología	
- Del poder y los peligros de la tecnología	

 Bien   Adecuado   Mal

CUADERNO DE EJERCICIOS

1 Identidad

La clase

3 ①

1 c-u-a-d-e-r-n-o-s; **2** r-o-t-u-l-a-d-o-r; **3** m-o-c-h-i-l-a; **4** r-e-l-o-j-e-s; **5** p-i-z-a-r-r-a; **6** b-o-l-í-g-r-a-f-o

9 ②

1

● ¿Hola?
■ ¡Buenos días! ¿Es usted Aurelio Montes?
● Sí, soy yo.
■ ¡Feliz cumpleaños, señor Montes!
● Muchas gracias.
■ Señor Montes, ¿de dónde es usted?
● Soy argentino, de Buenos Aires.
■ ¿Y cuántos años cumple hoy?
● ¡Muchos, señorita, muchos! ¡Ochenta y cinco!
■ ¿Ochenta y cinco?
● Exacto.
■ ¡Muchas felicidades!

2

● ¿Diga?
■ ¡Feliz cumpleaños!
● Muchas gracias.
■ ¿Eres María?
● Sí, me llamo María.
■ María, ¿de dónde eres?
● Soy española, de Toledo.
■ ¿Y cuántos años cumples hoy?
● Quince.
■ ¡Muchas felicidades!
● ¡Muchas gracias!

Datos personales

21 ③

a 72; **b** 83; **c** 25; **d** 37; **e** 99; **f** 74; **g** 25; **h** 44

Presentaciones

24 ④

1 ¿De dónde eres? **2** ¿Vives en Londres? **3** ¿Cuál es tu apellido? **4** ¿Hablas chino? **5** ¿Dónde vives? **6** ¿Qué idiomas hablas? **7** ¿Cuándo es tu cumpleaños? **8** ¿Cuántos años tienes? **9** ¿Eres estudiante de Medicina? **10** ¿Tienes 20 años?

2 Relaciones

Mi familia y mis amigos

10 ⑤

Lola: ¿Es grande tu familia, María Isabel?
María Isabel: ¡Muy grande! Somos seis hermanos: dos hermanas y cuatro hermanos.
Lola: ¡Seis hermanos!
María Isabel: ¡Sí! ¿Y sabes cuántos primos tengo?
Lola: ¿Cuántos?
María Isabel: Veinticuatro por parte de madre y quince por parte de padre.
Lola: ¡Tienes una familia muy grande!

Aspecto físico

12 ⑥

Se llama Arturo Villavicencio. Es de Ecuador. Vive en Quito. Es de estatura mediana. Tiene los ojos castaños y el pelo gris. Lleva gafas. Es una persona famosa en Ecuador.

Carácter

20 y 21 ⑦

Alejandro: ¿Qué tal con Sofía?
Santiago: Muy bien, ¡es muy guay y muy, muy guapa!
Alejandro: Ah, ¿sí? ¿Cómo es?
Santiago: Tiene el pelo largo y rizado y los ojos azules.
Alejandro: ¿Y es muy alta?
Santiago: Bueno… Es de estatura mediana.
Alejandro: ¿Y qué más?
Santiago: Pues lleva gafas.
Alejandro: ¿Y de carácter, qué tal? ¿Es muy tímida?
Santiago: No, no es tímida, es muy divertida…
Alejandro: ¿Y en el instituto?
Santiago: Es muy inteligente, y también bastante trabajadora…
Alejandro: Tienes razón. ¡Es una chica muy guay!

Autoevaluación

4 ⑧

Mi familia es bastante grande. Vivo con mi madre y su nuevo marido y tengo dos hermanos, una hermana y un hermano. También tengo una hermanastra, la hija de mi padre y su nueva mujer. Tengo también dos abuelas y un abuelo. Mi madre tiene tres hermanas y mi padre cuatro hermanos. Todos están casados, así que tengo muchos primos y primas. También tengo una mascota, mi perro, que se llama Bruno.

3 Hábitat

Un barrio

16 ⑨

Bienvenidos al concurso *¿Conoces este país?*. Hoy vamos a descubrir qué cosas sabemos de Guatemala. Tenemos cuatro preguntas para ti.
Pregunta número 1: ¿Dónde está Guatemala?
A. En Sudamérica.
B. En Norteamérica.
C. En Centroamérica.
Pregunta número 2: ¿De qué país está muy cerca Guatemala?
A. De Honduras.
B. De Venezuela.
C. De Puerto Rico.
Pregunta número 3: ¿Dónde está el Parque Arqueológico de Tikal?
A. En el centro de Guatemala.
B. En el norte de Guatemala.
C. En el sur de Guatemala.
Pregunta número 4: ¿Qué hay en la ciudad de Chichicastenango?
A. Un lago.
B. Un mercado de artesanía.
C. Una playa muy grande.
Y esto es todo por hoy. Podéis enviar vuestras respuestas a nuestro programa…

17 ⑩

Hola, buenas tardes y bienvenidos a nuestro concurso *¿Conoces este país?* Hoy vamos a conocer las respuestas a nuestro concurso y también vamos a saber quién es el ganador.
Pregunta número 1: ¿Dónde está Guatemala? La respuesta correcta es… ¡en Centroamérica!
Siguiente pregunta, la número 2: ¿De qué país está muy cerca Guatemala? Y la respuesta es… ¡de Honduras!
Pregunta número 3: ¿Dónde está el Parque Arqueológico de Tikal? Y la respuesta correcta es… ¡en el norte de Guatemala!
Y ahora la pregunta número 4: ¿Qué hay en la ciudad de Chichicastenango? ¡Sí!, la respuesta correcta es… ¡un mercado de artesanía!
Y el ganador de nuestro concurso es…

4 Hábitos

Rutina diaria

7 ⑪

- No trabajo todos los días.
- A veces trabajo muchas horas y otras veces pocas horas.
- Viajo mucho.
- Normalmente me levanto tarde porque trabajo por las noches.
- Nunca llevo uniforme.
- Siempre escucho música y tengo clases de baile.
- Tengo un club de fans.
- A veces voy a la televisión o a la radio.
- Soy una persona muy famosa.
- Hago muchos conciertos.
- Toco el piano y la guitarra.

9 ⑫

Normalmente me levanto a las siete y media, desayuno y, después, sobre las ocho, me lavo los dientes, me ducho y me visto. A las ocho y media voy al instituto en autobús. Allí tengo clases de nueve a tres. A las once y media tenemos el recreo, y almuerzo en la cafetería con mis compañeros de clase. A las tres y cuarto, aproximadamente, vuelvo a casa y como con mi hermano. Después, hago los deberes y juego con el ordenador durante una hora. Luego, ceno con mi familia a las nueve y media. Me acuesto sobre las once y media. Tres días a la semana juego al tenis de seis a siete y media, y los fines de semana normalmente tenemos un partido.

Horarios

20 ⑬

¡Atención, chicos! Hay tres cambios en el horario. Por favor, escuchad.
El lunes no hay Tecnología de dos y media a tres y media. Ahora la Tecnología es el martes a la misma hora y el Arte, entonces, es el lunes a las dos y media.
El martes no hay clase de Inglés a las diez, la clase es a las tres y media, y la clase de Ciencias la cambiamos a las diez de la mañana.
El viernes se cambia la Educación Física a las tres y media por la Lengua y Literatura que es a las nueve.

5 Competición

Deportes

7 ⑭

veintitrés mil novecientos setenta y cuatro; un millón doscientos mil; quinientos ochenta y tres mil trescientos cuarenta y ocho; setecientos treinta y nueve; doscientos cuarenta mil novecientos treinta y cuatro; dos mil quince

Gustos

14 ⑮

1 A mi hermano le encantan los deportes de riesgo. **2** No me gusta jugar al tenis. **3** Me encantan los concursos de música. **4** Me gusta nadar en el instituto. **5** A mí me encanta jugar al fútbol. **6** Me gusta practicar el atletismo en el polideportivo de mi barrio. **7** Me gusta ver los concursos de cocina de la televisión. **8** No me gusta la música clásica.

Concursos

22 ⑯

1 Mis amigos y yo jugamos al fútbol todos los jueves. **2** En el trabajo de mi madre hay mucha gente joven. **3** Puedes colocar el cojín rojo debajo del espejo. **4** A mi abuelo le gusta viajar con sus hijos. **5** Generalmente, escojo bien a mis amigos.

26 ⑰

El fútbol es uno de los deportes más practicados en todo el mundo. Existen muchas competiciones de fútbol, pero la más importante es la Copa del Mundo. También se llaman *los mundiales de fútbol* y se celebran cada cuatro años desde 1930. Estos duran aproximadamente un mes. Participan treinta y dos equipos.
De los países latinos, Brasil, Argentina, Uruguay, Colombia, Costa Rica y España son siempre favoritos. La selección de fútbol española, llamada *la Roja* por el color de su uniforme, tiene una Copa del Mundo.
En España hay jugadores muy famosos, como Iniesta o Casillas.

Autoevaluación

4 (18)

Manuela: A mí me encanta jugar al fútbol. Sí, ya sé que muchas personas piensan que es un deporte de chicos…

Javier: No, no, yo pienso que algunas chicas son muy buenas… A mí también me gusta el fútbol, pero verlo en la televisión. Mis deportes favoritos son el tenis y el esquí.

Manuela: ¿Y cuándo los practicas?

Javier: El tenis, los martes y jueves después de las clases, en el club de tenis de mi barrio; y el esquí, bueno, normalmente voy con mi familia una semana en las vacaciones de Navidad. ¿Y tú?

Manuela: Pues yo juego al fútbol con el equipo del colegio, los lunes y miércoles, pero dos sábados por la mañana al mes tenemos partidos de competición con otros institutos.

Javier: ¿Y qué otras cosas te gustan?

Manuela: Tocar la guitarra, pero nada de clásico, ¿eh? Solo *rock*. Tengo una guitarra eléctrica y voy a clases un día por semana.

Javier: Yo también toco la guitarra, pero no es eléctrica. Oye, un día tenemos que quedar y tocar juntos.

Manuela: Vale, claro que sí. ¡Ah!, y me gusta mucho ver series de televisión.

Javier: Sí, a mí también, pero me encantan los concursos de música. Mi sueño es presentarme a un concurso y hacerme muy muy famoso…

Manuela: No, no, no; yo solo toco para mí, no puedo tocar en público.

6 Nutrición

Hábitos alimenticios

13 (19)

Primero se pelan las patatas y se cortan en trozos pequeños. Después, se fríen en una sartén con aceite de oliva. Al mismo tiempo, se baten los huevos con un poco de sal en un bol. Se pica la cebolla en trozos pequeños y se añaden los trozos de cebolla a la sartén donde están las patatas. Cuando las patatas y la cebolla están fritas (unos 20 minutos, a fuego lento), se meten en el bol con el huevo batido. Después, se echa la mezcla del huevo, las patatas y la cebolla a la sartén. Unos minutos después, con un plato grande, le damos la vuelta. Volvemos a dejar la mezcla en la sartén unos minutos. Finalmente, se pasa la tortilla a un plato y ¡ya está lista para comer!

Comer fuera

19 (20)

1 ● ¿Qué es la dorada?
  ■ Un pescado.
2 ● ¿Qué lleva la ensalada?
  ■ Lechuga, tomate, aceitunas, frutos secos…
3 Me trae la cuenta, por favor.
4 De primero quiero la sopa.
5 ¿Me pone un té, por favor?
6 ● El pescado, ¿cómo lo preparan?
  ■ Lo hacemos al horno.

7 Diversión

Hacer planes

2 (21)

● ¿Por qué no organizamos una fiesta el próximo viernes?
■ No, no; el viernes no, que mucha gente tiene partidos o entrenamientos. Mejor el sábado.
● Vale, pues el sábado; ¿a las siete?
▲ Sí, yo creo que a las siete está bien.
● Por mí, perfecto. Entonces la hacemos en el garaje de mi casa. Tenemos permiso, chicos.
▲ ¡Genial! Yo compro las bebidas y algo de picar.
● Yo puedo ir al supermercado contigo.

■ Y yo me encargo de la música. ¡Ah!, una idea… ¿y si buscamos un tema?
▲ ¿Cómo un tema?
■ Sí, por ejemplo *La guerra de las galaxias*, personajes famosos, la época *hippy*…
● Me gusta la idea. ¿Podemos hacer los años ochenta?
▲ Sí, sí, ¡qué divertido!
■ Bueno, pues…, ¡listo!

Dar opiniones

19 (22)

Colombia; influencia; información; criminal; reducir; contar; zona; conflictos; colectivo; adolescente

25 (23)

Hola a todos y gracias por escuchar nuestro *podcast*. Hoy queremos hablar de los distintos ritmos que existen en el Caribe.

En primer lugar tenemos la bachata, que es de origen dominicano. Trata siempre temas de amor, pero tristes, con problemas. Actualmente está muy de moda.

Otro ritmo, de origen cubano, es el chachachá. Es un baile muy popular en todo el mundo. Se baila en parejas y existen muchas competiciones.

Pero, con seguridad, es el merengue el baile más típico de la República Dominicana.

La salsa tiene una gran influencia de Cuba, de Puerto Rico y de Nueva York. En realidad, es una mezcla de música caribeña y *jazz*, que nace en los años sesenta.

Y para terminar, otro ritmo clásico, el mambo, que comienza en Cuba en los años treinta. Es un baile con pocas reglas y muchas emociones…

8 Clima

El tiempo

3 (24)

Y ahora, la previsión del tiempo para hoy en la provincia de Córdoba. Esta mañana en el norte de la provincia hay tormentas y está nublado, pero por la tarde va a hacer sol y va a aumentar la temperatura. En el centro de la provincia hoy hace sol y, además, va a hacer mucho calor. Aunque ahora hay niebla en el sur de la provincia, al mediodía va a hacer sol. Como vemos, en Córdoba hoy tenemos un tiempo variado. Y ahora, el tiempo en Buenos Aires…

El clima perfecto

13 (25)

● ¿Vamos en auto al final?
■ Y… no sé…
● Vos querés ir en moto, pero ¿y si llueve? ¡Está muy nublado…!
■ Ya sé, ¿y si llamamos un taxi?
● Sí, tenés razón, lo llamo ahora mismo.
■ Perfecto. ¿Y qué hago yo?
● Vos podés llamar a mi hermana y decirle que vamos a llegar tarde.

18 (26)

La República Argentina es un país independiente desde 1816. Tiene unos 42 millones de habitantes y está dividida en 23 provincias y una ciudad autónoma: Buenos Aires. Tiene una longitud de casi 4000 kilómetros entre el extremo norte y el extremo sur. La superficie continental es de 2 780 400 km^2, es el segundo país más grande en extensión de América del Sur, después de Brasil. La montaña más alta del territorio argentino es el pico del Aconcagua, a 6962 metros de altura.

Autoevaluación

4 (27)

Chema: Entonces… ¿qué hacemos?
Mariña: Pues yo creo que mañana podemos hacer algo especial. ¿Qué te parece?
Chema: Genial, yo también quiero hacer algo diferente, algo especial… Si hace buen tiempo, vamos a la playa, nos bañamos y tomamos el sol.

Mariña: ¿Y si llueve?
Chema: En la radio dicen que mañana hace buen tiempo, pero si llueve, vamos al Museo de Ciencias y ya está.
Mariña: ¿Y si nos levantamos y está nublado?
Chema: Pues entonces hacemos una excursión a la montaña… De todas formas, hay que ser optimista.
Mariña: ¿Y si hace frío?
Chema: Mariña, estamos en agosto, ¡cómo va a hacer frío! ¡Imposible!
Mariña: Ya, pero, ¿y si hace frío?
Chema: Estamos en el Mediterráneo y aquí no hace frío, pero, bueno, si hace frío, pues nos quedamos en casa y tenemos un día tranquilo, ¿contenta?

9 Viajes

Saber viajar

6 (28)

A ● Y tú, ¿qué ciudades españolas conoces?
  ■ Yo solo conozco Barcelona, ¿y ustedes?
  ● Nosotros conocemos Madrid, Barcelona, Bilbao…
B ● Mario, ¿sabes hablar ruso? Es que tenemos un amigo de Moscú de visita y no sabe hablar inglés ni español…
  ■ Bueno, sé decir algunas palabras porque conozco a un chico ruso del instituto…
C ● Señor Martínez, ¿sabe cuándo llegan sus hijos de vacaciones?
  ● Pues no estoy seguro…, sé que llegan hoy, pero no estoy seguro de la hora…
D ● Vamos a jugar al tenis con Marina.
  ■ ¿Marina? No sé quién es.
  ● ¿No la conoces? Es mi prima.
  ■ Pues no, no la conozco…

10 Educación

Cambios en los sistemas educativos

12 (29)

Los alumnos están muy contentos, ¿no? Por ejemplo, cuando nosotros tenemos una clase, una clase ordinaria, digamos en Ciencias Sociales, digamos en tercero, tocan lo que es la Prehistoria, la evolución; en quinto, por ejemplo, tocando lo que es la Constitución y demás. Hay bastante material, tenemos vídeos, tenemos que nosotros diseñar nuestras presentaciones Powerpoint, tenemos que hacer participar a los chicos, entonces ellos se sienten sumamente contentos, comprenden mucho mejor la clase, incluso… *(Extraído de Canal Redorbol en www.youtube.com)*

Otras formas de educarse

17 (30)

Yo no paro durante la semana. El lunes, después del instituto practico equitación, y lo mismo el miércoles, hasta las siete de la tarde. El martes y el viernes, antes de ir a teatro a las seis y media, toco la guitarra, y solo me queda el jueves libre. Bueno, no tan libre, porque después del instituto estoy haciendo un voluntariado en una ONG: visito a niños en hospitales con mis compañeros de teatro. Pero, bueno, esto me encanta, la verdad…

11 Consumo

La moda

3 (31)

1 Voy de compras con mis padres. 2 Siempre compro la ropa en tiendas de ropa de segunda mano. 3 Yo nunca compro ropa en mercadillos. 4 Siempre llevo ropa de deporte. 5 Yo siempre llevo vestidos. 6 No suelo llevar trajes.

8 (32)

En el centro comercial Andino estamos de descuentos. ¡Llegaron las rebajas! No se pierda esta oportunidad, para usted y para toda su familia.

A partir del 2 de enero tenemos unas rebajas increíbles en nuestros almacenes: abrigos de lana y chaquetas de cuero al 50 %; gorros, bufandas y guantes: estas prendas de invierno, ahora 4000 pesos en lugar de 10 000; zapatos y tenis con un descuento del 25 %; todos los pantalones a 60 000 pesos; los *jeans,* antes a 70 000 pesos y ahora, a 50 000; camisetas de manga corta por 15 000 pesos y camisas de manga larga, por 20 000.

¡No se lo pierda! Venga al centro comercial Andino. en la calle 83 con avenida 11. ¡En Bogotá! ¡Recuerde: desde el 2 de enero hasta el 28 de febrero!

12 Trabajo

Vida laboral
19 (33)

(…) Este país, que no solamente es una incógnita en América Latina, sino [que] es un país desconocido incluso en su ubicación geográfica, ¿no? A tal punto que, por momentos, me parece que es un país mágico que han inventado los novelistas, los escritores, esta gente que hace magia con la realidad. Pero hay que decir que es un país que existe realmente en el corazón de América Latina. Un país que tiene su pasado, su gran pasado… *(Extraído de Canal Afondo Entrevistas en www.youtube.com)*

21 (34)
- Alberto, ¿has trabajado alguna vez?
- Sí, trabajé el año pasado como camarero en una cafetería, pero solo los fines de semana, de junio a septiembre.
- ¿Y ganaste mucho dinero?
- Bueno, bastante…
- ¿Y qué hiciste con el dinero?
- Me compré una moto y pagué una parte de la matrícula de la universidad.
- ¡Qué suerte!
- Lola, y tú, ¿qué trabajos has hecho?
- Yo, el verano pasado, di clases particulares a algunos niños de mi calle. Trabajé solo durante el mes de julio, porque en agosto casi todos se fueron de vacaciones. Y durante el año también hago de canguro para una familia, normalmente los fines de semana. Es que me encantan los niños. Por eso quiero ser maestra.
- Y este verano, ¿qué vas a hacer?
- Este verano no lo sé… El año pasado, en agosto, fui a Dublín a estudiar inglés. ¿Y tú?
- Creo que voy a volver a la cafetería…

13 Salud

El cuerpo humano
7 (35)

1 Es importante cuidar la espalda porque estoy muchas horas sentado y una buena postura es importante. Hace muchos años que practico esta actividad porque me gusta estar al aire libre y me encantan los caballos. También participo en competiciones.
2 Pues a mí me gusta porque es bueno para todo el cuerpo y porque he aprendido a relajarme y a respirar mejor. Es verdad que algunas posturas son muy difíciles, pero es cuestión de práctica. Me gustan los estilos activos, o sea, no mucha meditación y esas cosas.
3 Cuando juego muchas horas, tengo problemas con las manos, por el balón, pero también se usan los brazos y las piernas… Bueno, y, por supuesto, al saltar se utiliza todo el cuerpo. ¿Mi favorito? El equipo de Brasil; a mí también me encanta jugar en la playa en verano.
4 Si estoy mucho tiempo, tengo problemas con los ojos, el cuello y la espalda. Tengo que hacer muchas pausas porque si no, estoy todo el tiempo sentada. Bueno, a veces, con mi portátil, estoy tumbada en la cama.

Problemas de salud
10 (36)

1 No debes levantar tanto la pierna, te puedes hacer daño.
2 No debe ir a trabajar hoy, debe quedarse en la cama.

3 No debes ver más la televisión: llevas más de tres horas tumbado en el sofá.
4 No debe preocuparse por su hijo, creemos que ya no está mareado.
11 (37)
- ¿Qué le pasa?
- Creo que estoy resfriado, y tengo mucha tos.
- ¿Le duele la cabeza?
- Sí, mucho; bueno, también me duelen los brazos, las piernas…, todo el cuerpo.
- De acuerdo, en primer lugar vamos a ver si tiene fiebre…
(…)
- Pues sí, tiene 38 ºC de fiebre.
- Ah, por eso tengo tanto frío…
- Sí, claro, es normal tener frío y calor. Es más que un resfriado, usted tiene una gripe.
- ¿Una gripe? ¿Y qué me aconseja?
- Es importante quedarse un día o dos en la cama; además, debe beber mucha agua; bueno, líquidos, en general.
- ¿Y tengo que tomar algún medicamento?
- Sí, aquí tiene la receta: unas pastillas contra la fiebre y otras para la tos.
- Muy bien. ¿Tengo que volver?
- Si no se encuentra mejor en unos días, sí.

14 Comunicación

La radio y la televisión
13 (38)

Con lágrimas en los ojos y un poderoso discurso sobre la comunidad hispana, Gina Rodríguez, de raíces puertorriqueñas, recibió ayer por la noche un Globo de Oro en la ceremonia que tuvo lugar en Los Ángeles, como mejor actriz de comedia de televisión por su participación en la serie *Jane The Virgin*.
El galardón de Gina representa un triunfo para la comunidad latina. «Yo no me convertí en artista para ser millonaria. Me convertí en actriz para cambiar la forma en que crecí», dijo durante una conferencia de prensa.

Autoevaluación
4 (39)

Es indudable que la televisión ejerce una gran influencia en los adolescentes. Influye en su forma de comportarse, de hablar, e incluso, de pensar. De manera consciente o inconsciente, los adolescentes adoptan los modelos de la sociedad y de los individuos de los programas que ven.
En primer lugar, debemos hablar de las horas que se pasan los chicos y las chicas frente al televisor y preguntarnos qué otras actividades pueden hacer en esas horas. ¿Qué tal leer un libro? ¿Y si hacen deporte? Tantas horas en el sofá pueden producir obesidad. También es una triste realidad que, en muchas casas, la televisión está encendida a la hora de las comidas, o incluso hay adolescentes que desayunan mirando el televisor. Y yo me pregunto…: ¿cuándo hablan esas familias? Las encuestas dicen que los jóvenes ven de 22 a 25 horas semanales la televisión. Aunque es verdad que debido a los ordenadores y, sobre todo, a las redes sociales, actualmente dedican menos horas.
Por otra parte, están los programas que los chicos ven. Muchos de estos programas no tienen ningún contacto con la realidad y ofrecen a los jóvenes un mundo ficticio que nada tiene que ver con su mundo real. Hay demasiados programas de concursos, donde la protagonista es la competición, y también hay muchos programas llenos de violencia. Y no nos podemos olvidar de la publicidad, que cada vez ocupa más espacio en la programación y que nos lleva a un consumismo enfermizo, a comprar y consumir lo que nos venden en los anuncios, lo necesitemos o no.
Y quiero aclarar que no estoy criticando el medio de

comunicación en sí. La televisión es un invento maravilloso. Yo critico algunos programas. Por supuesto que si lo que se ve son buenas películas o programas críticos, informativos o de entretenimiento, la televisión puede ser una parte importante de la educación de los adolescentes.

15 Medio ambiente

Los recursos naturales
10 (40)

(…) Se puede producir a muchos niveles. Se puede observar en ríos, lagos, mares con desechos y basura que vienen de nuestros propios hogares e industrias. También puede producirse porque el aire sufre las consecuencias de las emisiones de gases tóxicos de las industrias y los automóviles. Nosotros somos responsables también de la contaminación del aire porque tratamos de forma inadecuada los residuos sólidos en casa.
Otro problema es la destrucción de los bosques: la deforestación es otro problema ambiental grave. Debido a la mayor demanda de alimentos, se amplían los terrenos agrícolas y se destruye el hábitat natural de miles de especies.
Por último, también existen otros problemas…

La educación medioambiental
21 y 22 (41)

- Muchas gracias por aceptar nuestra invitación, señora Díaz.
- El placer es mío.
- La ciudad para la que trabaja se llama Punto Fijo, ¿dónde se encuentra su ciudad?
- Punto Fijo está en el Caribe venezolano, en la península de Paraguaná. Es una ciudad de 270 000 habitantes.
- ¿Por qué no nos dice la razón por la que ha sido invitada hoy al programa?
- Estoy muy contenta de contarles que desde hace ya unos años Punto Fijo es una ciudad libre de bolsas de plástico, o sea, no se pueden utilizar bolsas de plástico o comercializarlas.
- ¿Por qué la iniciativa?
- Básicamente, por la contaminación que generan. Estas bolsas de plástico se encuentran en grandes cantidades, con mucha frecuencia, en las carreteras, y afectan al ecosistema y, principalmente, a los ríos, a los lagos y, claro, al mar… El segundo problema es que se recicla muy poco de lo que se consume al año y los gases tóxicos que salen de la quema de plásticos son sustancias muy peligrosas que afectan no solo a las plantas y animales, sino también a los tejidos humanos…
- Es muy interesante conocer esta información y, especialmente, ver cómo se ha concienciado la gente en su ciudad.
- Sí, la verdad es que la medida fue un éxito en esta ciudad, en otras ciudades de Venezuela y en otros países latinoamericanos.

Autoevaluación
4 (42)

El aumento del nivel del mar se ha acelerado más de lo que se pensaba
Un reciente estudio financiado por el Gobierno español ha concluido que el nivel del océano en las costas españolas va a aumentar entre 0,6 y 0,8 metros a lo largo del siglo XXI si no se hace nada por reducir las emisiones.
Es una noticia que puede sorprender, pero refleja la importancia de empezar a tomar muy en serio los problemas ambientales. El Gobierno ya ha comenzado a tomar medidas sobre el asunto.

16 Migración

Antes y ahora
13 (43)

● Buenas tardes, hoy vamos a hablar con una de las personas que más conocen la historia de Madrid, Paloma Soto, autora de varios libros sobre Madrid y doctora en Sociología. Buenas tardes, doctora Soto.

■ Buenas tardes, un placer estar con vosotros otra vez en vuestro programa.

● Hoy vamos a hablar de un barrio muy madrileño y con mucha historia: Lavapiés. Cuéntenos qué es Lavapiés.

■ Bueno, pues Lavapiés es muchas cosas: es el nombre de una plaza del centro de Madrid; también es el nombre de una calle y de una estación de metro y, además, una parte del barrio de Embajadores, la zona más popular, pero realmente esa parte se conoce más como Lavapiés que como Embajadores.

● Cuéntenos algo de su historia, por ejemplo, ¿por qué se llama Lavapiés?

■ Pues dicen que el nombre viene de una plaza donde había una fuente donde la gente se lavaba los pies. Hasta el siglo XV, aproximadamente, no vivía nadie en esa parte de Madrid. En esa época, Madrid era una ciudad pequeña y allí no había prácticamente nada, solo campo.

● ¿Y cuándo se transforma el barrio realmente?

■ En el siglo XIX ya vivía bastante gente en el barrio, claro. Pero desde la Guerra Civil, y hasta los años ochenta, Lavapiés era un barrio habitado exclusivamente por gente mayor que vivía en casas viejas y de pequeñas dimensiones construidas alrededor de un patio, las típicas corralas, unos edificios muy típicos de Madrid. Como decía, en los años ochenta, e incluso en los noventa, había muchas casas abandonadas y pisos con alquileres muy bajos, y por eso en esos años se instalaron muchos jóvenes y también muchos okupas. Lavapiés ha sido, probablemente, la zona de Madrid con mayor densidad de casas okupadas, y en ella tuvieron lugar las primeras experiencias de okupación de la capital.

● Dicen que Lavapiés es el barrio más multicultural de la ciudad, ¿es eso cierto?

■ Pues sí. España experimentó un rápido crecimiento a principios de este siglo y muchas personas llegaron de otros países. En Madrid, debido a los altos precios del alquiler en la ciudad, la tendencia de estos inmigrantes fue instalarse en este barrio. Actualmente, alrededor del 50 % de la población del barrio es de origen extranjero. Debido a esta multiculturalidad hay eventos, como el año nuevo chino o el ramadán, que son casi más importantes en Lavapiés que, por ejemplo, la Navidad.

● ¿Qué atractivos tiene Lavapiés, además de su multiculturalidad?

■ Pues es un lugar con mucha vida cultural y un barrio estupendo para ir de tapas, ¡y para comer en restaurantes de medio mundo!

Recuerdos
18 (44)

1 Es una pregunta bastante difícil, ¿no? Pero creo que el ser *nikkei* es mucho más que ser descendiente de japoneses. Ser *nikkei* es tener la responsabilidad de tener dentro de uno dos conceptos, dos culturas que son completamente opuestas, pero que nosotros debemos trabajar y saber convivir, logrando que los valores, todo lo bueno que tengan ambas culturas, vivan en nosotros, ¿no? Eso yo creo que es ser *nikkei*.

2 Yo pienso que el desarrollo de lo que es *nikkei* sí ha sido algo diferente de acuerdo al país; me refiero, en general, a Latinoamérica, ¿no? A través de la Asociación Panamericana Nikkei he tenido la oportunidad de conocer varias realidades *nikkei* en Latinoamérica, y sí, si bien es cierto…, hay algunas raíces comunes, también hay ciertas diferencias. Quizás, la gran diferencia que veo yo es a través del número de japoneses que se estableció en determinado lugar. En los lugares donde hay muchos japoneses, por supuesto, hay colegios japoneses, hay organizaciones japonesas, hay iglesias japonesas, budistas, ¡o qué se yo! En cambio, en países como Chile no hubo nada de eso. Por lo tanto, el desarrollo de los países donde hubo muchos japoneses, quizás las costumbres y la cultura se preservó más tiempo. *(Extraídos de www. discovernikkei.org)*

Autoevaluación
4 (45)

¿Cómo vivía la gente en el Uruguay a principios del siglo XIX? Si imaginamos un viaje a la época de la independencia de Uruguay, nos vamos a encontrar con muchas cosas que eran muy diferentes a las de ahora, desde la escuela hasta la comida.

En esa época, solo los hombres iban a la escuela. En la casa, las chicas aprendían a leer y escribir, además de hacer los trabajos de la casa y, a veces, [a] tocar algún instrumento musical.

En pocos lugares del país se podían cursar estudios secundarios. Para una carrera universitaria, por ejemplo, tenían que trasladarse a Argentina o a Perú, y a veces, directamente a España.

En cuanto a lo que podían hacer en el tiempo libre, no había mucho que hacer. No había cines, ni televisión. Los adultos de familias más o menos ricas se divertían con bailes que organizaban en los salones de las casas. Los pobres y la gente de campo se entretenían con carreras de caballos y en fiestas familiares. Tenían música si alguien tocaba la guitarra.

No había ni teléfono ni correo electrónico. Cuando alguien quería charlar con un amigo o con un pariente, o informarse o informar sobre algo, tenía que ir caminando o a caballo hasta la casa de la otra persona.

La gente era muy religiosa: cuando se celebraba misa la gente llenaba las iglesias.

La comida era muy básica. Desayunaban mate, té o café. Y comían o cenaban papa, legumbres o carne. De postre, normalmente comían fruta.

Como no había heladeras, la gente tenía que comer la comida el mismo día que la compraba. Lo que se conservaba más tiempo era una carne seca y salada llamada charqui.

17 Arte

Pintura
2 (46)

El cuadro muestra un paisaje muy tranquilo. En primer plano se observa un río y, a las orillas del río, en ambos lados, hay un bosque. Me parece que es otoño, por las hojas de los árboles flotando en el río. En el fondo vemos un cielo azul casi sin nubes.

Me gusta mucho el cuadro porque transmite mucha calma y siento que te puedes relajar en un lugar como este. Me recuerda mucho al lugar donde vivía en mi infancia. La estética del cuadro es muy bonita, por la naturaleza que muestra y por las formas.

Literatura
11 (47)

A Está bien por la Juana,
la Juana Torres;
la que hacía crecer la ruda y el misterio.
La enemiga de Dios y del Infierno.
Ella tuvo la flor de los amantes.
El castillo en el aire…

B Allá, en tiempos muy remotos, un día de los más calurosos del invierno, el director de la Escuela entró sorpresivamente al aula en que el Grillo daba a los Grillitos su clase sobre el arte de cantar, precisamente en el momento de la exposición en que les explicaba que la voz del Grillo era la mejor y la más bella entre todas las voces…

C No la reconocí […] Tal como apareció, exactita, con esos ojos suyos tan fascinantes, por la esquina oscura donde dormían los escombros de la tienda Moda de París. Desde allí la vi venir, justo cuando entraba a la calle Cervantes, en donde yo me encontraba parado…

D La noche del mundo: | Los peina en el valle,
¡qué largos cabellos!… | los trenza en el cerro,
Los suelta en la torre, | los abre en las ramas
la torre del viento. | frías del almendro.

18 Tecnología

Grandes inventos del pasado
6 (48)

Hoy en día no nos podemos imaginar nuestras vidas sin los coches, también llamados automóviles. Pero, ¿cómo empezó todo? Los primeros automóviles, aunque todavía no se llamaban así, aparecieron en el siglo XVIII y eran de vapor. Sin embargo, fue en el siglo XIX cuando se desarrolló el primer motor con combustión de gasolina. Aunque ya se producían en diversos países, en 1908 el estadounidense Henry Ford comenzó a producir automóviles en una cadena de montaje. Este nuevo sistema permitió la fabricación en masa. Y a partir de ahí, todo han sido cambios e innovaciones hasta tener los coches de hoy en día. Pero ¿qué nos espera en el futuro? ¿Coches que conducen solos, que pueden volar o que funcionan con otro tipo de energía? Esto todavía está por ver…

La ciencia ficción
19 (49)

Locutor: Buenas tardes a todos y bienvenidos a nuestro programa. Hoy tenemos con nosotros a dos invitados: la señora García y el señor Romero, dos especialistas en investigación médica. Nuestra pregunta hoy es: ¿dónde están los límites de la medicina?
Bienvenida, señora García.

Señora García: Buenas tardes y gracias por la invitación.

Locutor: Y, por supuesto, también bienvenido, señor Romero.

Señor Romero: Buenas tardes y encantado de estar aquí en el programa.

Locutor: Empecemos por usted, señora García, y su visión sobre el futuro de la medicina.

Señora García: Pues, por una parte, naturalmente que estoy de acuerdo con todos los avances de la medicina que nos permiten una calidad de vida mejor. Estoy de acuerdo con los trasplantes, las nuevas técnicas para operar, los aparatos y medicinas que aparecen cada día, pero creo que tenemos que poner unos límites. Las máquinas no lo pueden hacer todo. No podemos dejar a las personas enfermas con un ordenador o un robot. Las personas que están enfermas necesitan a un ser humano a su lado, necesitan comprensión y, sobre todo, un trato personal, humano. Nosotros no somos máquinas y no queremos sustituir a los médicos por máquinas.

Locutor: Señor Romero, ¿qué opina usted?

Señor Romero: Bueno, pues yo estoy de acuerdo con la señora García en que el desarrollo de la medicina ha contribuido a mejorar la calidad de vida y, además, quiero añadir que ayuda a predecir y evitar enfermedades con los chequeos regulares que se hacen con los ordenadores. Pero, con lo que no estoy de acuerdo es con los límites. En un pasado, las personas tenían miedo de muchas cosas que hoy en día son una práctica normal. Lo desconocido causa siempre temor, pero tenemos que vencer ese temor, mirar hacia adelante y confiar en la ciencia.

Locutor: Pues muchas gracias por sus respuestas. Ahora, la segunda pregunta…